K

GROCHOLA
Upoważnienie do szczęścia

Polecamy:

Grażyna Bąkiewicz — *O melba!*
Natasza Goerke — *47 na odlew*
Katarzyna Grochola — *Podanie o miłość*
Jarosław Klejnocki — *Jak nie zostałem menelem*
Irena Matuszkiewicz — *Agencja Złamanych Serc*
Irena Matuszkiewicz — *Gry nie tylko miłosne*
Irena Matuszkiewicz — *Dziewczyny do wynajęcia*
Iwona Menzel — *W poszukiwaniu zapachu snów*
Iwona Menzel — *Zatańczyć czeczotkę*
Beata Pawlak — *Aniołek*
Izabela Sowa — *Smak świeżych malin*
Izabela Sowa — *Cierpkość wiśni*
Izabela Sowa — *Herbatniki z jagodami*
Dominika Stec — *Mężczyzna do towarzystwa*
Monika Szwaja — *Jestem nudziarą*
Monika Szwaja — *Romans na receptę*
Janusz L. Wiśniewski — *Zespoły napięć*

KATARZYNA
GROCHOLA
Upoważnienie do szczęścia

POLISH
GROCHOLA

Prószyński i S-ka

Projekt okładki
Maciej Sadowski

Redakcja
Jan Koźbiel

Redakcja techniczna
Jolanta Trzcińska

Korekta
Joanna Kleczek
Jadwiga Piller

Łamanie
Ewa Wójcik

ISBN 83-7337-313-6

Wydawca
Prószyński i S-ka SA
02-651 Warszawa, ul. Garażowa 7

Druk i oprawa
Drukarnia Naukowo-Techniczna Spółka Akcyjna
03-828 Warszawa, ul. Mińska 65

Moim przyjaciołom

Upoważnienie do szczęścia

Ze wspomnień, które docierały do niej poprzez lata dorosłości, Ala zapamiętała jedno: sen o bestii pod łóżkiem.
Bestia miała tysiące ostrych zębów jak pirania i była zielona. Trzymała ją w objęciu zielonkawych sił. Nie mogła ani krzyknąć, ani się ruszyć. Nikt nie wiedział. A jej groziło. Podłoga była jasna, wypastowane dębowe klepki odbijały w dzień światło słoneczne, w nocy lampę.
Teraz lampa. I nogi kobiety. Czarne szpilki, wąskie kostki obleczone w pończochy. Na pończochach szew. Prościutki jak strzała aż do. Ale do nie było widać, tylko do kolan. Bestia dusiła ją mocniej i mocniej.
A kobieta szła, jak gdyby nigdy nic. Szła, a srebrna taca błyszczała. Na pewno. Bo była srebrna. Bo dźwięczało w górze. I weszła na plamę. Srebro musiało odbijać lampę. Wszystko miało barwę, głos, oddech.
Tylko ona nie.
Bestia zaraz zrobi coś. Coś, po czym przestanie istnieć. Choć już nie istnieje. Już zaparło dech. Już oczy otwarte raz na zawsze. I bezruch. Może to ją uratuje. A kroki idą. Taca dźwięczy. Łyżeczka upada. I odbija się wolno od świetlistego

odbicia lampy, i jeszcze raz, i jeszcze raz, i zamiera. Koło szpilek. Kroki stoją. Cisza. I nagle pojawia się ręka, coraz niżej i niżej do tej łyżeczki i niech jeszcze niżej, bo przecież ona pod tym łóżkiem uwięziona, więc w tej łyżeczce jest ocalenie, niech jeszcze niżej, niech zobaczy...

Otwiera usta, ale żaden krzyk, a bestia jest. I łyżeczka w ręku, i znowu stuk stuk, i brzęk brzdęk, i szwy oddalają się, i już nikogo...

O czym to był sen?

Oczywiście – strach, strach i jeszcze raz strach. Przed czym? Nie ma pojęcia.

Czyje to były pończochy? Czyje nogi?

Mamy na pewno nie, nie pamięta, niestety, jak mama wyglądała. Bo zdjęcie rodziców nie oddaje ani tonu ich głosu, ani ruchu, stoją sobie zupełnie obcy ludzie, którzy byli całym jej światem, a może nawet ona była całym ich światem, ale świat się skończył pewnego zimowego poranka, odeszli na zawsze tylko dlatego, że samochód, który jechał z naprzeciwka, wpadł w poślizg, jechał za szybko i było za ślisko.

Może to nogi którejś z pań. Którejś z pań z domu dziecka. Nieważne.

Może dlatego zawsze się bała. Czego najbardziej?

Tego, że nie ma nikogo, kto by ją ocalił.

Bo pan z tamtego samochodu jadącego naprzeciwko samochodu rodziców przeżył. A jej rodzice nie. Ale nie pamięta, bo była mała.

I tak miała lepiej niż inne dzieci, bo miała dziadków. Mogła do nich jeździć na wakacje, a potem – jak już wszystkie formalności zostały załatwione – mogła u nich mieszkać. Oni pamiętali, jaki ton głosu mieli jej rodzice, jak się ruszali, jak zabawnie mama podwijała pod siebie nogi na krześle – mó-

8

wili czasami: Masz ruchy zupełnie jak twoja mama. Albo: Tak samo mówił twój tata.

Zanim się u nich znalazła, mieszkała w domu dziecka. A jeszcze przedtem u cioci Maryli, siostry taty. Siostra taty chciała dobrze, chciała, żeby Ala miała dom i była jej córką. Tylko że siostra taty chciała mieć dziewczynkę grzeczną i dobrą, a Ala budziła się co noc i płakała. I jeszcze czasem budziła się rano i łóżko było mokre.

– Jesteś dużą dziewczynką! Nie możesz moczyć się w nocy! – mówiła ciocia, najpierw spokojnie, a potem mniej spokojnie.

I ciocia powiedziała, że nie, że nie da sobie rady.

Ala jeszcze nie mogła być wzięta przez dziadków, tylko poszła do domu dziecka – na czas załatwiania formalności. Jacyś urzędnicy bardzo dbali o to, żeby dziadków sprawdzać, żeby nie było takiej sytuacji, że dziadkowie też się rozmyślą. Chociaż oni nie rozmyśliliby się nigdy.

I wtedy, w tym domu dziecka, zaczęła śnić o potworach.

Ale sny nie były najgorsze. Najgorsze było to, że inne dzieci śmiały się z niej, ilekroć jej łóżko było mokre. I ten śmiech był gorszy niż strach. I nie było nikogo, kto by krzyknął na te dzieci: „Uspokójcie się! Tak nie wolno! Nie śmiejcie się!".

Chciała schować się gdziekolwiek, choćby pod łóżko, żeby nikt jej nie widział, chciała się zrobić taka mała jak główka od szpilki i potoczyć się gdzieś, wpaść w mysią dziurę, żeby tylko nie słyszeć tego śmiechu... Ale była duża, stała w mokrej piżamie, a pani odsłaniała pościel i mówiła:

– Nieładnie, taka duża dziewczynka, zanieś to prześcieradło do pralni i poproś o nowe, bardzo nieładnie.

Dzieci chichotały za jej plecami, a kiedy szła do pralni, szturchały się znacząco.

Przesiadka na Dworcu Zachodnim w autobus, stamtąd do domu dziadków tylko półtora kilometra. Teraz, kiedy dziadek zachorował, nagle wróciły wspomnienia. To przecież wszystko nie tak dawno było... parę lat... jeszcze parę lat temu... Ale przeszłość była nieistotna...

Zawsze marzyła o kimś, kto by ją ocalił. Wtedy była malutka. Malusieńka. Miała może trzy lata, może mniej. A potem była starsza. Potwór powracał raz na jakiś czas pod ten tapczan. Kiedyś zniknął i już myślała, że po wszystkim, że skończyło się. Ale wrócił niespodzianie którejś nocy i znowu ją trzymał, a następnego dnia była klasówka z historii. Już była duża. Babcia z dziadkiem przenieśli się do mieszkania po rodzicach – chodziła do szkoły w mieście – chcieli, żeby nie była wiejskim dzieckiem, żeby chodziła do dobrej szkoły, żeby zdała na studia.

Ale sen był ten sam.

I nikogo.

Przebudzona leżała w nocy na wznak i wpatrywała się w ruchy świateł za firanką. W przerwie między karniszem a oknem pojawiały się wyrazistsze smugi i przesuwały z prawej do lewej lub z lewej do prawej, wolno lub szybko – tak jak jechały samochody na dole. Patrzyła na te smugi i starała się nie zasypiać. Jak najpóźniej zasypiać. Żeby nie śnić. Już była duża. Już piersi urosły. Ale żeby nie zasypiać.

A jeśli już potwór, to niech pojawi się też On. Zabije potwora.

Podniesie tapczan i zobaczy małą, przestraszoną dziewczynkę.

Weźmie ją na ręce i powie: Nie bój się. Zawsze cię obronię. Jestem przy tobie.

Anioła stróża wtedy nie było.

Aniele Boży, stróżu mój, ty zawsze przy mnie stój, rano, wieczór, we dnie, w nocy, bądź mi zawsze ku pomocy... To dziadek nauczył ją tej modlitwy. Ona uchroni cię przed . niedobrymi snami – mówił. Twój anioł stróż czuwa.

Przestała mówić Aniele Boży, jak się obraziła na świat. Miała osiem lat i na wakacje wracała z dziadkami na wieś. Obrywała młode kolby kukurydzy i robiła z nich lalki. A chłopak sąsiadów, Antek, szukał dla niej najbardziej dorodnych, takich, które już puszczały włosy – delikatne, wilgotne, jak włos anielski na choince. Kukurydza nie nadawała się do jedzenia, ale lalka potrząsała złotymi włosami, zręczne palce Antka plotły warkocze.

– Jak będę duża, to też będziesz mnie kochał?

– Już teraz jesteś duża – mówił Antek. – Będę cię kochał zawsze.

– Ale ty jesteś głupi! Chłopak, a jak baba! Plecie warkocze! Plecie warkocze!

Dzieci zachłystywały się ze śmiechu, a Ala czuła, jak fala śmiechu dosięga i ją, i coraz bardziej i bardziej kochała Antka i coraz bardziej nie lubiła innych dzieci. Tylko że Antek nie przejmował się ich śmiechem.

– Będę chirurgiem, muszę ćwiczyć ręce – mówił. – Niech sobie gadają.

Patrzyła na niego z podziwem – był taki niezależny i taki silny, że mógłby radzić sobie z potworami.

Kiedy wpadł pod maszynę, która wiązała snopy, i zakrwawionego odwoziła do szpitala karetka, a matka Antka zawodziła na całą wieś, wtedy przestała mówić cowieczorną modlitwę. Nawet jak jego mama wróciła ze szpitala i powiedziała, że uratowali rękę, że może nawet kiedyś Antek będzie mógł nią ruszać, to zdecydowała, że jednak nie.

– Nie będę, dziadziu, tak mówiła, już nie.

A dziadziuś stał przy łóżku, robił znak krzyża na jej czole i uśmiechał się.

– Nie szkodzi. Nie szkodzi. On wie, że jesteś troszkę zagniewana.

– Ale ja naprawdę nie będę – obrażała się.

Dziadziuś nie traktował jej poważnie. A to była decyzja. Powinien się przynajmniej obrazić.

Antek wrócił do domu pod koniec wakacji.

– Nie będę chirurgiem – powiedział i pokazał jej poszarpaną dłoń, zwinięte palce, które dotykały siebie nawzajem.

Dotykała po kolei jego pokręconych palców, a on mówił:

– Nie czuję, jak mnie dotykasz, bo już prawie nie mam nerwów. Ale będę ćwiczył, zobaczysz, bo będę lekarzem.

I Ala kochała go jeszcze bardziej, bo był biedny. Antek spędzał w domu dziadków długie godziny, dziadek go lubił. Powtarzał:

– Możesz mieć wszystko, co chcesz, możesz być kimkolwiek chcesz, bylebyś chciał mądrze. – I kroił na połówki lekarstwa dla babci, pilnował, żeby brała leki o określonej porze, bo babcia bardzo chorowała i niedługo miała umrzeć. – Nie poddawaj się, chłopcze, jak będziesz ćwiczył, to ręka się odnowi.

Medycyna nie znała słowa „odnowić", ale Antek ćwiczył rękę na piłeczce tenisowej, którą dziadziuś przywiózł z miasta, a pewnego dnia dziadziuś podał Antkowi nóż i powiedział:

– Te pastylki mi przekrój na dwie, a te na cztery części.

I Antek ułożył tabletki dla babci na starej dębowej desce i mozolnie, równiutko przekroił.

– Widzisz? – powiedział dziadek. – Może jeszcze będziesz chirurgiem.

A Antek patrzył na Alę z dumą.

– Będziesz żoną lekarza.

Zgadzała się, bo kochała Antka z całej siły. I nawet czasami miała ochotę mu powiedzieć o domu dziecka, ale musiałaby również powiedzieć o swoim wstydzie, i może Antek przestałby ją kochać.

Ale najbardziej wtedy kochała dziadka. Dziadek dorabiał w czasie lata na wsi graniem w kościele. Lubiła stać przy starych organach, troszkę wyżej niż wszyscy. A on wyciągał ze środka białe, porcelanowe, przecięte na pół kulki. Sterczały nad pulpitem, wysunięte o parę centymetrów, zupełnie niepotrzebne dodatki do klawiszy, ale wtedy organy grały inaczej. A potem wciskał je i znowu zmieniały dźwięki. Bo to były czary. Albo wyciągał tylko niektóre. A ona stała tam wyżej niż wszyscy klęczący – albo wstający – ludzie, była ponad nimi, a wyżej był tylko ksiądz na drewnianej ambonie, a wyżej od księdza Chrystus zawieszony między oknami. A wyżej od Chrystusa już tylko drewniane, grube belki sufitu.

Tej niedzieli w kościele, kiedy przyglądała się belkom, zasłuchana w to, co wyprawiał dziadek z białymi kulkami i pedałami, zauważyła dwa ciemne cienie. To były dwa grube czarne robale. Prawie nad nią. Bała się, że spadną. A potem, jak spojrzała, był tylko jeden.

Dziadziuś grał teraz cienko, porcelanowe okrągłe były powyciągane, a duży jak gruby palec czarny robak był tylko jeden.

Drugi musiał być gdzieś tutaj. Spadł gdzieś niedaleko. Może koło jej nóg?

Kręciła się. Patrzyła na deski podłogi. Kawałek po kawałku. Robaka nie było. Potem znowu sufit. Ten drugi siedział prawie nad nią. Mimo że tak wysoko. Wyżej niż Chrystus.

A więc jeśli pierwszy spadł, to mógł nawet na nią.

Ale dziadziuś grał.

I tak bardzo chciała siku.

Musiała stąd natychmiast wyjść.

Ale nie mogła.

Nie widziała ludzi ani księdza, ani Boga.

Widziała sufit i czarnego potwora, który przecież zaraz na nią...

A dziadziuś grał. Ludzie go słuchali.

A siku chciało coraz bardziej wyjść.

Nie mogła się ruszyć.

Starała się patrzeć na ludzi. Ale z ludzi zrobiła się duża plama. Z księdza zrobiła się czarna plama. Taka jak robak. Więc patrzyła na krzyż. Ale krzyż też był w górze.

Więc patrzyła na belki.

Drugiego też już nie było.

I strach wrócił nagle, zobaczyła rząd łóżek w domu dziecka i potwora i wtedy siku poleciało. Ciepłem między nogami i na łydkach, i w sandały. I wyszło koło organów, a stała wyżej, więc ono leciało niżej. Po tych dwóch schodkach. Zostawiało ślad.

Nie mogła się ruszyć.

A dziadziuś grał. A ludzie stali.

Nikt na nią nie patrzył, ale ono leciało i leciało aż na sam dół i tam zrobiło mokrą plamę.

I ten strumień wskazywał na nią.

Nic się nie da ukryć. Więc stała. I nie było nikogo, kto by ją przemienił w niewidzialną dziewczynkę z suchymi nogami w suchych sandałkach. Anioła stróża też nie było, żeby ją wyprowadził z tego wiejskiego kościółka, zanim się stało.

Ale potem dziadziuś przestał grać. Ludzie klęknęli.

Popatrzył na nią.

Wyjął szary papier, w który pakował nuty. Położył na krzesełku za organami.

– Chodź tutaj – powiedział cicho.

Ale w kościele też była cisza. Więc dziadziuś powiedział to głośniej niż ta cisza, mimo że szeptem. A wtedy ksiądz podniósł złote do góry i powiedział:

– To jest ciało moje, które za was będzie wydane.

Ludzie mieli pochylone głowy. Siadła na krzesełku, a drewniana podłoga skrzypnęła, chociaż starała się frunąć. Nie umiała latać. Ale ludzie mieli pochylone głowy. Widziała to. Antek stał z boku; modliła się, żeby nie zobaczył jej wstydu.

Dziadziuś klęknął.

– Oto... – mówił ksiądz, a potem zadzwonił dzwoneczek i dziadziuś, ciągle klęcząc, układał ten szary papier na jej strachu i wstydzie.

Nie było jej.

Ale zaraz wstaną ludzie i popatrzą na dziadziusia. I wtedy popatrzą na organy. I wtedy popatrzą na podłogę, bo była wyżej. I wtedy zobaczą rozłożone szare plastry papieru. I wtedy wszystko się wyda.

I kiedy ludzie przeżegnali się i zostali pobłogosławieni do następnej niedzieli, a ona siedziała ze spuszczoną głową i czekała, aż wszyscy wyjdą, podszedł do nich Antek i wyciągnął do niej rękę, jakby się nic nie stało, ale nie dała się nabrać.

Zerwała się i wybiegła, żeby nie słyszeć, jak się z niej wyśmiewa, jak śmieje się głośno w kościele, daleko, do samego Chrystusa zawieszonego między oknami, jak śmieje się z niej i przestaje ją kochać.

Autobus zatrzymał się przed kapliczką. Wysiadła i ruszyła drogą przed siebie.

Mogła oczywiście zawiadomić Antka, że przyjeżdża dzisiaj, tym o czternastej dwadzieścia, na pewno wyjechałby po nią samochodem, ale nie... Lepiej tak, iść sobie, spokojnie, tak jak rok temu. Wtedy, kiedy szła pod kapliczkę na autobus, który ją wywoził stąd na zawsze. A koło niej szedł Antek, dorosły mężczyzna; nie mógł być chirurgiem, lekki przykurcz dłoni pozostał, ale skończył medycynę i pracował w miejskim szpitalu. Antek... jej Antek wtedy i nie jej dzisiaj. Drugi stopień specjalizacji, prace naukowe, prawa ręka ordynatora oddziału wewnętrznego. Antek. Jej miłość. Dlaczego jeszcze rok temu mogli być razem? Dlaczego się rozstali? „Nie spełniamy swoich oczekiwań...".
Tak powiedział.

Czego się najbardziej boi? Najbardziej boi się braku miłości. Tego, że nie będzie kochać, czy tego, że nie będzie kochana? A to różnica? Zasadnicza. Co mi z tego, jeśli ja kocham, a nie jestem kochana? Cierpienie, ból, nikt nie spełnia oczekiwań... To chyba nie miłość...

Kiedy zobaczyli się zeszłego lata, wziął ją za rękę, jakby tych lat między nimi nie było, lat mierzonych kolbami kukurydzy, lat nieobecności, rękę miał lekko zniekształconą, choć sprawną, czerwonawe blizny przez środek dłoni, serdeczny palec krótszy, miał operację w Niemczech, a jego dłoń, choć inna niż ta druga, szersza, o pogiętych trzech palcach, była znajoma.

– Wyglądasz tak samo...

– No nie... – Roześmiała się. – Od tego czasu na pewno urosły mi piersi...

– Zauważyłem... – powiedział i wtedy się speszyła.

Tak się nie rozmawia z człowiekiem, którego się znało tylko z plecenia warkoczyków na kukurydzianych lalkach, osiemnaście lat to kawał czasu, to osiemnaście zim i wiosen, osobnego dojrzewania, uczenia się, zawodu i kochliwości, to cała pełnoletność, tak się nie rozmawia z człowiekiem, o którym się nic nie wie...

Antek zmienił się; gdyby nie ta dłoń i to światło w oczach, nie poznałaby go. Słuchała z podziwem jego opowieści o szpitalu.

– Robisz to, co chciałcś...

– A ty?

– Rozwiodłam się dwa lata temu...

– Nie poczekałaś na mnie i oto skutki. – Patrzył na nią, a jakby przez nią, jakby była przezroczysta; żartował?

– Nie wiedziałam, że mówisz poważnie – obróciła jego słowa w żart. – Myślałam, że to dowcip, że mnie będziesz zawsze kochał. Mój mąż, były mąż – poprawiła się szybko – mój były mąż też tak żartował.

Roześmiał się głośno i objął ją ramieniem. Drgnęła; ciepło jego ciała było tak naturalne, że przestraszyła się, to przecież tylko żarty, to znajomy z przeszłości, kiedy byliśmy dziećmi, to po prostu przyjaciel z dzieciństwa.

Trzeciego wieczoru na łące, tam gdzie we wrześniu miała dojrzewać kukurydza, kochali się na wilgotnej ziemi. Wieczór był chłodny, siedzieli na dużym kamieniu, to ona pierwsza wzięła go za rękę, tak naturalnie, jakby ta ręka zawsze do niej należała, a on odchylił do tyłu jej twarz i mocno pocałował, jakby całowali się zawsze i jakby nikt inny nigdy tego nie robił. A potem decyzja przyszła tak nagle, że nie było odwrotu ani zastanawiania się, ani wyboru, ani zgody, ani niezgody, wszystko działo się tak, jakby od zawsze byli razem i od zawsze znali swoje ciała i dusze.

Kiedy ściągał jej przez głowę sukienkę, przemknęła jej myśl, że powinna się wstydzić, że dorośli ludzie nie robią tego na polu, że pewno widział ładniejsze dziewczyny, że lewą pierś ma większą niż prawą i on na pewno to zauważy, że jest lekarzem i może to ma znaczenie, bo przecież tyle kobiet widział rozebranych...

A potem, kiedy leżeli w wydeptanym kręgu kukurydzy, miała pod sobą jego koszulę i jego ramię na piersiach, wydało jej się to śmieszne, to myślenie o tym, jak mogła wyglądać, tak to bardzo było nieważne. Brzuch w środku uśmiechał się z radości, przez dwa lata małżeństwa nie zaznała tego, co pod rodzącymi się kolbami kukurydzy.

– OK. Teraz wiem, że wtedy mówiłem poważnie.

– Poważnie mówiłeś co?

– Nie pamiętasz?

– Powtórz – prosiła, a on przesuwał podkurczonymi palcami po jej piersiach.

– Zimno ci, taka jest moja diagnoza. Chodźmy.

Czy można nagle zacząć kochać kogoś, kogo się nie zna? Kogo znało się jako małego chłopca lub kogoś, kogo znało się jako małą dziewczynkę? Skąd wiadomo, że to miłość, a nie pożądanie, ciekawość, potrzeba bliskości, lęk przed samotnością? Dlaczego była pewna, że dwadzieścia sześć lat czekała na tę chwilę? Nie, nie na seks z nim na polu kukury-

dzianym, nie na wilgoć chłodniejącej po upalnym dniu ziemi
– czekała na niego.

Czy często chciała być uratowana? O tak. Zawsze. Pamięta, że w nocy wyobrażała sobie, że jest w niewoli. Że złapali
ją zbójcy i już, już mają zabić, ale najpierw będą męczyć. Jest
przebrana za mężczyznę, nie wiadomo dlaczego, więc jako
mężczyzna została złapana i osądzona. Przywiązują ją do
drzewa, mocno krępują ręce – żeby to bardziej czuć, wkładała dłonie pod krzyż i tak leżała, wpatrując się w sufit, a one
martwiały i już nic nie czuła. Wtedy mogła zamknąć oczy
i poddać się wyrokowi. I wtedy oni mieli strzelać, już ją mieli zabić, kiedy nagle ktoś przecinał więzy – wyjmowała ręce
i kładła wzdłuż ciała, i zaczynały wędrować mrówki pod skórą; wtedy wiedziała i czuła, że jest uwolniona...

Ta fotografia, którą pieczołowicie przechowuje, pokazuje
jakiegoś obcego mężczyznę, dość wysokiego, o ciemnych
włosach. Stoi obok uśmiechniętej młodej mamy.

Fotografia jest czarno-biała i nic więcej nie da się powiedzieć.

Czy za nim tęskni?

Jak można tęsknić za kimś, kogo się nie zna i nie pamięta? Kogo się nigdy nie widziało i nie trzymało za rękę? Kto
nigdy nie podniósł dziecka do góry i nigdy nie wziął na kolana? Jak można kochać kogoś, kogo nie całowało się na dobranoc ani wyjeżdżając na wakacje, na obóz, na kolonie, do
dziadków na wieś? Kogoś, kto nie czekał i na kogo się nie
czekało? Kogoś, kto sobie po prostu zginął, nie pamiętając
o tym, że jest gdzieś jakieś małe dziecko?

Może jest na niego obrażona?

Piaszczysta droga skręcała w kierunku zabudowań. Ten mały domek to domek dziadków. Kuchnia, w której stoi stół i tapczan, ogień pod fajerkami, zapach krupniku, zawsze gotowy wrzątek na herbatę. Babci już nie ma, od dawna. Ale dziadek jest przecież wieczny, był zawsze i zawsze będzie. Jedyny mężczyzna, który ją kochał, a w pustej kuchni nikogo, klucz u państwa Kuźmów, jak zwykle, jak od lat, u rodziców Antka, do których przecież nie pójdzie, nie stanie na progu i nie powie: Dzień dobry, ja tylko po klucz.

– Dzień dobry, ja tylko po klucz.

– Wejdź, kochanie, takie nieszczęście, takie nieszczęście, pewno zmęczona po podróży, jechałaś autobusem? Zupy ci naleję, Antek w szpitalu, dzwonił do ciebie, prawda? Nie masz co w pustym domu siedzieć, zaczekaj tutaj, dobra zupa na pomidorach, nie z puszki, wejdź, Alusiu.

Życzliwa, zaczerwieniona twarz matki Antka. Zachowuje się tak, jakby nie wiedziała, jakby nie miała pretensji, a przecież wszyscy wiedzieli, byli po słowie. W zeszłym roku w sierpniu wyściskała ją serdecznie:

– Najgorzej się martwiłam, że ty kościelny brałaś, że Antkowi organy nie zagrają, ale jak cywilny, to jaki to ślub, to przecież nie ślub. No cóż, dziecinko moja, każdy ma jakąś przeszłość, teraz takie czasy, że ludzie się późno spotykają, napsocić muszą, żeby do siebie dojść, proste drogi zarzucają, krętymi idą, ale lepiej późno niż wcale.

A teraz zupa pomidorowa na stole przed nią. Weszła na sztywnych nogach, nie wiedziała, co ma robić, jakoś wydawało jej się, że będzie łatwiej, że przyjedzie tu, a potem pojedzie z Antkiem do szpitala, powinien już być.

– Gdyby Antoś wiedział, że przyjedziesz tym o drugiej, to-by po ciebie wyjechał. Ale on się naszykował na ten o czwar-tej. Zaraz do niego zadzwonimy. Pojedziesz do szpitala, przecież przy chorym posiedzieć trzeba, powiedzieć co. Ja wiem, że dziadzio nieprzytomny jest, ale nie wiadomo, czy człowiek nie słyszy, to może się wydawać, że nie słyszy, a mo-że słyszy, tylko powiedzieć nie może? Przecież mózg to takie niezbadane urządzenie. A serce w człowieku bije i póki bije, trzeba opieką otoczyć. Ciężki czas dla ciebie, Aluś, ciężki, niech Bóg ci pomoże.

Żadnych pretensji, żadnego wyrzutu, miękkie ręce kroją chleb, przytulając bochenek do piersi, ostry nóż zatrzymuje się tuż przy chrupiącej skórce.

– Jedz, dziecko, jedz, sił będziesz potrzebować. Nie mów nie, człowiek co inne myśli, co inne robi, niepotrzebnie.

Kiedy usłyszała szum silnika, wyszła z domu Antka, a An-tek spojrzał na nią i powiedział:

– Dobrze, że jesteś, ale twój dziadek nie odzyskał przy-tomności.

Siedziała przy łóżku – wydawało jej się, że może zasnął. Do sali zajrzała pielęgniarka.

– Jest nieprzytomny – powiedziała i spojrzała na nią ze współczuciem. – Naprawdę może pani jechać do domu.

Nie chciała jechać do domu. Wolała być tutaj. A jeśli przebudzi się na jeden krótki moment? I wtedy nikogo nie będzie? Nie mogła do tego dopuścić.

Pielęgniarka sprawdziła kroplówkę i wyszła. Ala odłożyła trzymaną w ręku gazetę i spojrzała na sąsiednie łóżko. Su-chutki, drobniutki staruszek. Rzuciła okiem na kartę. Tylko sześćdziesiąt siedem lat? Też po wylewie. I odzyskał przytomność, choć paraliż prawej strony ciała nie cofnął się.

Starszy pan leżał nieruchomo z zamkniętymi oczyma. Ożywiał się tylko wtedy, kiedy przychodziła żona. Dużo młodsza, drobna, zawsze porządnie wymakijażowana. Ala obserwowała ją ukradkiem, jak pokrzykiwała na korytarzu: Siostro, siostro, proszę wodę, siostro, gdzie jest parawan, dlaczego mąż nieumyty, siostro, mąż prosi o czystą kaczkę! Miała nieprzyjemny, piskliwy głos. A potem Ala spróbowała tej piskliwości nie słyszeć.

Widziała parę dni temu tę kobietę po raz pierwszy. Widziała, jak siada na okrągłym metalowym krzesełku i podnosi jego rękę. Mężczyzna odwracał od niej twarz, a ona delikatnym ruchem brała go pod brodę i odwracała w swoją stronę. Ala nie słyszała, co do niego mówiła, jej głos obniżał się. Szmer rozmowy umykał obcym uszom.

Kobieta nachylała się w jego stronę. Wycierała chusteczką ślinę, która spływała mu z kącika ust. Szeptała do niego dobre słowa otuchy, które tylko on odbierał. Kiedy zamykał oczy, opierała głowę na dłoniach i patrzyła na niego. Nie wychodziła ze szpitala aż do momentu, kiedy zniecierpliwiona siostra wyrzucała wszystkich spóźnionych odwiedzających.

Ala zastanawiała się, dlaczego pielęgniarki nie lubiły tej kobiety – to było widać. Myślała, czy też by przestały słyszeć piskliwość w jej głosie, gdyby mogły siedzieć w tej sali i patrzeć na jej upierścienione ręce, które próbują ćwiczyć tamtą nieruchomą dłoń.

– Alu?

Podniosła głowę i popatrzyła na Antka. W białym fartuchu wyglądał niedostępnie, służbowo i jakoś tak... godnie. Czuła respekt przed mężczyzną, którego odrzuciła.

Dlaczego nie chciała z nim być? Chciała, tylko chciała też czegoś więcej. Żeby jakoś okazał, że naprawdę ona i tylko ona. Przecież wszędzie można być lekarzem. Jak łatwo przyszło oskarżenie, że mu na niej nie zależy.

Mężczyzna, któremu zależy na kobiecie, rzuca wszystko.

– Wyjedziesz ze mną czy nie?

– Alu, nie rozumiesz? Nie mogę!

Nie mogę znaczy nie chcę. Nie mogę znaczy decyduję się na coś innego. Nie mogę usprawiedliwia brak miłości. Antek jej nie kochał na tyle, żeby z nią żyć. Wyjechać do miasta, zmienić pracę. Nie mógł.

Jakże poczuła się zawstydzona swoim żądaniem. Myślała, że ją kocha! Wróciła do domu późno. Dziadek podniósł głowę znad gazety, zdjął grube okulary, trzęsącą się ręką odłożył na stół.

– Pokłóciliście się? Młodzi się kłócą.

Nie, nie pokłócili się. Wstyd wrócił z taką siłą, że traciła oddech. Udawał, że ją kocha. Udawał, że jej pragnie. Upokorzenie długo w nocy nie pozwalało jej zasnąć. Ma żebrać o miłość? Znowu?

A następnego dnia wyjechała do miasta porannym autobusem.

Zadzwonił do niej tego samego dnia, wieczorem. Podniósł głos.

– Jak mogłaś! Przyznaj się, że wolisz być nieszczęśliwa. Zastanów się, co robisz – powiedział poważnie. Nie walczył, nie zabiegał, nie zmuszał, a ona chciała, żeby rzucił dla niej wszystko, pokazał, że tylko miłość się liczy, nic więcej.

– Ja? To ty nic nie umiesz dla mnie zrobić... – powiedziała z żalem.

– Miłość nie na tym polega. A ty oczekujesz ode mnie w tej chwili aktów poświęcenia, jak małe niekochane dziecko. Nie jesteś dzieckiem, jesteś kobietą. Nie kłóćmy się, raczej zastanówmy, to przecież decyzja na całe życie, a ty żądasz, żebym z dnia na dzień zmienił swoje plany. Nam obojgu ma być dobrze. Jeśli tego chcemy.

– Widzę, że ty nie bardzo chcesz.

– Czy ty myślisz, że trzeba mieć jakieś specjalne papiery na szczęście? Upoważnienia? Od kogo? Tylko od siebie możemy tego zażądać. – Był zniecierpliwiony. – Nie słyszysz tego, co mówię. Zadzwoń, jak się zastanowisz, czego chcesz, ale ja ci upoważnienia na szczęście nie wystawię. Ja jestem gotów zaryzykować, ty chcesz mieć pewność. I na tym polega różnica między nami.

Nie wiedziała, o co chodzi. Wiedziała tylko, że ten cały gorący romans z towarzyszem dziecięcych zabaw to miraż, to się nie mogło udać, nie pobiegł za nią, nie wsiadł w swój samochód, nie zatrzymywał jej.

– Gdyby cię naprawdę kochał, toby przyjechał... – powiedziała przyjaciółka Ali. – No, ale mężczyźni tacy są.

– Alu... – Podniosła głowę. – Chodź na chwilę...

Stanęła razem z nim na korytarzu, już nie kochanka z kochankiem, tylko lekarz prowadzący z wnuczką pacjenta.

– Aluś... – jego głos był ciepły, takim głosem rozmawia się

z rodziną śmiertelnie chorych – to już tydzień, nie ma wielkich szans.

Łzy popłynęły mimowolnie, aż na brodę, otarła je wierzchem dłoni.

– Po co mi to mówisz, przecież wiem...

– Chodź, może coś zjemy... Siedzisz jak przykuta do tej sali, nie zapadaj się...

– Nie jestem głodna...

– Jesteś wykończona...

– A co cię to obchodzi? – podniosła głos. – Co cię to naprawdę obchodzi?

– Obchodzi mnie... jak każdego człowieka...

– No właśnie! – prychnęła i wycofała się w bezpieczne miejsce koło swojego umierającego dziadka.

Jak każdego... Nie jak kogoś specjalnego, jedynego, kogo się kocha do utraty tchu i dla kogo jest się w stanie poświęcić wszystko.

Jak każdego.

Płakała, siedząc przy łóżku, płakała nad dziadkiem, którego nie zobaczy już przy fisharmonii w domu, jak czaruje białymi kulkami, i płakała nad sobą.

A czy ona była gotowa poświęcić wszystko?

Ona? Dlaczego ona? Czy to nie mężczyzna powinien dać znać, że jest gotów, przekonać, zrozumieć, wybaczyć, walczyć, upominać się, nie pozwolić jej zniknąć?

Kto ma poświęcić wszystko? Odnaleźć, nie pozwalać, znać, wiedzieć? Czy to nie jest prośba dziecka o ojca, nie o partnera?

O, jakże niewygodnie się o tym myśli. Jakie to niesprawiedliwe. Nie może myśleć o ojcu, bo nigdy nie odczuła jego braku, tak jak nie odczuła braku mamy, nie tęskniła ani nie marzyła, nie, nie i jeszcze raz nie.

Ale jeśli się myli? Jeśli nie może odróżnić jednego od drugiego? Jeśli nie chce znowu być porzucona na wieki, tak jak wtedy, kiedy miała trzy lata?

Decyzja oswojenia niesie ze sobą ryzyko łez – wróciły do niej słowa lisa z „Małego Księcia".

Ja mogę zaryzykować – ty chcesz mieć pewność.

Może wychowywała się na niewłaściwych książkach.

Żona wysuszonego pana stukała obcasami równo o szesnastej trzydzieści. Jego głowa podnosiła się lekko i patrzył na drzwi. Był napięty, Ala to widziała. Rozpoznawał kroki; Ala nie mogła zrozumieć, dlaczego, kiedy wchodziła do sali, on zamykał oczy i udawał, że śpi. Kładła mu rękę na policzku, potem całowała go w policzek, a on nie otwierał oczu. Wyjmowała ściereczkę, moczyła ją i porządnie wycierała metalową szafkę, myła gruby kubek z resztkami herbaty, wyjmowała kompot i nalewała do kubka. Trzepała poduszki, a on leżał wpatrzony w sufit, jeszcze drobniejszy bez podpórki, jeszcze bardziej bezbronny. Uklepywała pierze, fachowo brała go pod barki i przesuwała wyżej.

A potem piskliwym głosem w drzwiach wołała:

– Siostro, to przecież skandal, jak tak można z chorym, proszę o parawan i miskę z wodą.

Parawan zasłaniał Ali tę część łóżka, słyszała tylko plusk wody, koce zarzucane na poręcz prawie dotykały podłogi, potem upierścienione ręce fachowo je strzepywały.

Kiedy parawan się odsłaniał, widziała niepozorną postać wtopioną w wyklepaną poduszkę. Mężczyzna siedział sztywno wyprostowany, patrzył przed siebie.

Dziadziuś leżał bez ruchu.

Zastanawiała się, co musi być takiego w związku tych dwojga, co przy sparaliżowanym człowieku trzyma taką kobietę – opiekuńczą, walczącą o niego, o jego sprawność. Wkładała mu do ręki długopis, ćwiczyła dłoń, nachylała się, szeptała, wołała do życia.

Patrzyła na nich przez trzy dni. Wyschnięty człowieczek o nic nie prosił. Był cichy. Chyba zdecydował, że już sobie pójdzie, tylko chore ciało jeszcze walczyło z tą decyzją. Walczyła również ta kobieta. Niestrudzenie ćwiczyła rękę, jej piskliwy głos przez trzy dni wisiał w sali zatęchłej od starego moczu i chloraminy.

Dziadziuś również odchodził.

– Nie trzymaj go – powiedział Antek. – Nie trzymaj go.

Nie rozumiała, co mówi.

Ala wyciągnęła rękę do dziadziusia i siedziała przy nim jeszcze jakiś czas, nie miała co z sobą zrobić, była tam niepotrzebna, bo jej dziadziusiowi nikt już nie był potrzebny. Jego anioł stał obok, czujny i gotów do drogi. Czekał.

A ona miała zostać.

Sama.

Ala patrzyła na tę kobietę. Nachylała się nad wiotkim ciałem męża, mówiła do niego. Jej głos nabierał miękkości tylko dla niego, falował jak sztuka aksamitu w oknie jej własnej sypialni. Łagodnie. Zdusiło ją w gardle. Staruszek odwracał się do ściany, ona upierścienioną dłonią chwytała go pod brodę i odwracała jego twarz ku sobie.

Potem kobieta wyjęła kartkę i długopis. Podłożyła mu pod głowę drugą poduszkę. Słońce świeciło prosto na kołdrę z niebieską pieczątką pralni. Ilu lat potrzeba, żeby miłość mogła tak bujnie dojrzeć? Ilu wspólnych lat wyrzeczeń, kompromisów, czułości, wytrwania?

Żal ściskał jej serce – miała przed oczyma miłość, jaka zdarza się raz na życie, ludzi, którzy będą ze sobą do końca. Co z tego, że kobieta jest śmieszna ze swoimi pierścionkami i piskliwym głosem? Ona to robi dla niego, dla zmęczonego ciała, które już nie ma siły. Właśnie o taką miłość jej, Ali, chodzi, dla takiego uczucia warto żyć.

Antek stał przy nich, poważny i spokojny. Położył rękę na ramieniu Ali. I to Ala powiedziała:
– Chodźmy.

Jeszcze jeden dzień. Od rana Ala siedziała przy łóżku dziadka, nie siliła się ani na czytanie, ani na rozmowę, dziadziuś leżał coraz bardziej skurczony, coraz bardziej niknący. Oddychał płytko, jakby to powietrze już nie chciało iść dalej, tylko zatrzymywało się w gardle. Tamten pan oddychał szybko. Miał otwarte oczy i patrzył w sufit. Na suficie nic nie było. Nawet zacieków.

Tego dnia jego żony też nie było.

Kiedy oddech dziadka zrobił się urywany, pobiegła po Antka. Stała na korytarzu, zaciskając palce, próbowała się modlić, ale jedyne, co przychodziło jej do głowy, to Aniele Boży, stróżu mój...

Po paru minutach wbiegła na salę pielęgniarka, a potem Antek wyszedł i powiedział:

– Poczekaj na mnie, wrócimy do domu razem... Nic tu po tobie, przenosimy go na salę intensywnej terapii...

Wracała z nim do domu. Zapięła pasy, patrzyła przed siebie. Milczeli. A potem zaczęła mówić, mówić o tej kobiecie, o miłości, która trwa bez względu na wszystko, o miłości, która nie zna granic, ani wiek, ani choroba nic jest przeszkodą, mówiła szybko, nie chciała mówić tak, jakby go chciała o czymś przekonać albo wytłumaczyć, gorączkowo mówiła, szybko. Widziałeś? To właśnie tak powinno wyglądać, jak ja im zazdroszczę...

– Wiesz, czego im zazdrościsz?

– Nie zwróciłeś uwagi, ale ja siedziałam tam tyle dni, widziałam ją codziennie... Ty na co innego zwracasz uwagę, to są twoi pacjenci, nie masz okazji widzieć ich tak, jak ja ich widziałam...

– Może nie wszystko wiesz? Ja...

Przerwała mu.

– Nie mów, co ty, ja rozumiem, że twoje poglądy są inne, ale ja po prostu...

– Chciałem ci tylko powiedzieć, że nie należy sądzić z pozorów, bo...

Właśnie taki jest. Racjonalny i wszystko chce zepsuć, nawet tę opowieść, która popłynęła wbrew niej, już chciała się wycofać z rozmowy, ale wszystko było lepsze niż myślenie o dziadziu.

– Nie mów nic o pozorach! Nie rozmawiajmy. Właśnie tego się bałam... kiedyś... że możesz nie zauważyć...
Zamilkła i on zamilkł także.
– Pozwól mi powiedzieć... w obliczu rzeczy ostatecznych...
– zaczął raz jeszcze, ale przerwała mu w pół słowa.
– Proszę cię, nie rozmawiajmy, wymknęło mi się.
I Antek umilkł, dopiero kiedy dojechali do domu, popatrzył na nią ze smutkiem.
– Wiem, że ci ciężko.
A ona wpadła do domu i było jej ciężko jak nigdy, bo nie miał jej kto pocieszyć i obronić, umierał człowiek, którego kochała, jedyny człowiek, który ją chronił przed strachem, była sama jak palec na świecie, i to nie Antka dziadek umierał, i nie chciała, żeby Antek jej cokolwiek tłumaczył, skoro tak nagle i nieostrożnie powiedziała mu, jak powinna wyglądać miłość, w końcu to jej dziadziuś umierał i to ona nie umiała sobie z tym poradzić.

Kiedy po śmierci dziadziusia przyszła do szpitala po rzeczy – a była to obrączka ślubna, okulary i piżama – chudy pan dogorywał. Oprócz stojaka na kroplówkę nikogo przy nim nie było. Był jeszcze cieńszy niż parę dni temu i Ali wydawało się, że nawet nie mrugał, choć otwarte oczy skierowane były w sufit.
Kiedy czekała na wypis aktu zgonu, gruba pielęgniarka szeptem powiedziała do koleżanki:
– Idź na czwórkę, sprawdź, co z panem Majewskim.
A druga pielęgniarka już z korytarza powiedziała:
– Jak dotrzyma do następnej renty, to się żony doczeka, nie ma dwóch zdań.

A wtedy gruba podniosła wzrok znad przygotowywanych lekarstw:

– Znowu jej podpisał upoważnienie na te pieniądze? Kolejny raz go przekonała?

Ala stanęła przed domem państwa Kuźmów.

Było niedzielne popołudnie i bez względu na obecność matki Antka musiała mu powiedzieć, że teraz już rozumie. Zapukała energicznie, głośno. Pani Kuźmowa stanęła w drzwiach.

– To co, Aluś, wyjeżdżasz, prawda? Nie bój się, ja zajrzę do dziadków, jak trzeba przypilnuję, rachunki ci będę odsyłać...

– Chciałabym, jeśli to możliwe... Jest Antek?

– Antek! – krzyknęła w głąb domu pani Kuźmowa. – Wejdź, dziecko...

Ala stała w progu nieruchomo, kiedy Antek do niej podszedł. Wyciągnęła do niego obie ręce, wziął te ręce w swoje dłonie, trochę niepewnie, obejrzał się na matkę, pani Kuźmowa stała za nim poważna, nie uśmiechając się.

– Antek – powiedziała Ala – ja niewiele rozumiałam... Chciałam ci podziękować i zapytać, czy gdybyśmy... gdybym nie wyjechała... czy moglibyśmy jeszcze wrócić do tej rozmowy sprzed roku...

– Chcesz takiej miłości jak ta, którą widziałaś na sąsiednim łóżku w szpitalu? Nie mogę ci tego dać... i nie chcę.

Wstyd chciał ją znowu zaatakować, ale postanowiła, że tym razem będzie silniejsza niż wstyd.

– Ja już wiem, że ta kobieta... że ona tylko ze względu na rentę, ale to wyglądało...

– Ja właśnie nie chciałem, żeby wyglądało... ja chciałem, żeby było naprawdę.

Kiedy odprowadzał ją do przystanku autobusowego, zaczęło lekko mżyć.

– Mówiłem, że mogę cię odwieźć, teraz zmokniemy – powiedział Antek.

– Nie szkodzi. Chciałam się przejść, chciałam... tak jak kiedyś...

– Napiszesz? – zapytał.

Tak, napisze od razu, dzisiaj, od razu po podróży, napisze i zastanowi się, bo on kocha to miejsce, ten dom, ten szpital. A jeśli jeszcze, być może, będzie kiedyś w przyszłości kochał ją, to wystarczy – wszystko jest do zrobienia, tylko musi mu to napisać, musi go poprosić, żeby jeszcze raz, jeśli to możliwe, musi przekonać go, że jest dorosłą kobietą, która owszem, czasem się boi, ale nie będzie sprawdzać i żądać, tylko zaufa, uwierzy. To wszystko mu napisze. I zobaczymy.

Kiedy na ciemnej, mokrej szosie pojawił się autobus, Antek odwrócił się do niej.

– Zaryzykuję jeszcze raz – powiedział, a ona miała ochotę się rozpłakać. Ale odważnie podniosła głowę i Antek się uśmiechnął. – Twój dziadek mi pokazał, jak wygląda miłość.

Wróciło wspomnienie wstydu i upokorzenia, a potem zdarzył się cud. Ala poczuła znajome ciepło, zobaczyła dziadka na kolanach, rozkładającego szare plastry papieru, i wstyd zamienił się w głębokie uczucie wdzięczności. Podniosła oczy na Antka, on się nie śmiał, ale uśmiechał, nie śmiał się z niej, ale uśmiechał się do niej, i wiedziała, że już się odważy.

– Ja też wiem, jak wygląda miłość. Tylko zapomniałam. Mnie też to pokazał... – przerwała, a potem dokończyła: – kiedy się posikałam w kościele.

Nigdy się nie poddam

– Widzi pani, jakie mam blizny? Wyglądają jak niedoprany obrus. Po winie czerwonym. Jak się na obrus wyleje wino czerwone, to trzeba od razu nasypać soli, wtedy nie ma plam. A jak się nie nasypie, to proszę, taki kolor zostaje, jak u mnie tutaj. I te podłużne blizny już mi zostały. Trzy albo cztery. Taki ślad desperackiej miłości. Ale to już było dawno. Byłam prawie dzieckiem, no, młodą dziewczyną. Chodziłam z jednym takim chłopakiem, a on powiedział, że musimy przestać się na jakiś czas spotykać. To wzięłam żyletkę i cięłam przegub. Potem owinęłam ręcznikiem zamoczonym w gorącej wodzie i położyłam się spać. Miałam nadzieję, że do rana się wykrwawię. Ale rano obudziłam się jak zwykle. Ręcznik był wilgotny i brudny od krwi. Cięcia były płytkie, podłużne, lekko się rozszerzały, jak nacisnąć. Zasklepiły się w ciągu tygodnia. Ale jaśniejszy ślad na przegubie lewej dłoni został. Taka głupia byłam.

Widzi pani? Tutaj, o, jak przesunę drugą ręką, to nic nie czuję, słowo daję. Nic nie czuję. Nie czuję, nawet jak się mocno chwycę za przegub. Taka byłam niemądra...

...Tak, tak, rozumiem, że i pani ma mi coś do powiedzenia o moim tekście, ale ja lepiej mówię, niż piszę, więc chcę, żeby pani wiedziała, co przeżywałam... Ojciec był dla mnie dobry... Najlepszy. Co prawda niewiele pamiętam z dziecięcych lat. Pracował do późna, ale nie było takiego wieczoru, żeby nie wszedł do pokoju, gdzie spałam, i nie pocałował mnie w czoło. Moja mała kobietka, moja dziewczynka – mówił.

Umarł na zawał, kiedy byłam na zimowisku w Zakopanem. Nic nie wiedziałam, bo mi mama nie napisała. Do końca zimowiska były tylko trzy dni... nie chciała, żebym się martwiła. Na zmartwienia jest zawsze czas, powtarzała. To był udany wyjazd... Tam poznałam Janka... Fantastycznie jeździł na nartach. Janek mieszkał w Krakowie, obiecał, że napisze, a nie napisał... Jak człowiek wierzy w takie rzeczy, kiedy jest mały... to znaczy młody! I jak ja płakałam, jak wyjeżdżaliśmy wszyscy... Ostatniego dnia wszystkie dziewczyny płakały, bo się zdążyłyśmy zaprzyjaźnić i poznać chłopców... Przedostatniego dnia braliśmy śluby, takie na niby. Janek mi się oświadczył – dostałam ładny pierścionek z zielonym oczkiem, bo ja mam zielone oczy. No i potem nie napisał.

A jak wróciłam, to mama mówi: Dziecko, ty już ojca nie masz... Pani sobie nie zdaje sprawy, jak cierpiałam. Nawet nie mogłam płakać. Nic nie mogłam. Przyznam się, że do dziś właściwie nie wierzę, że on nie żyje. Może po prostu odszedł od nas, a mama nie chciała mnie ranić? No, owszem, grób jest, ale wolę myśleć, że to tylko takie udawanie.

Czyje? Wszystkich. No, wszystkich. Zawsze wiedziałam, że w życiu najważniejsza jest miłość. Zawsze ceniłam miłość. Naprawdę. Była najważniejsza. Jak byłam zakochana, wszystko szło w kąt. Nie wiem, w jaki sposób skończyłam szkołę. Chyba dlatego, że mama powiedziała, że bez matury nie pojadę z Witkiem, moim chłopakiem, na wakacje. I musiałam się zmobilizować. Groziły mi dwie poprawki, wyobraża to sobie pani? W trzeciej klasie liceum? Ale na świecie nic ważniejszego od miłości. Ja to wiem. No i uczyłam się do czwartej rano i zdałam – obie, najpierw biologię, a matematykę to musiałam zaliczać o siódmej rano, przed radą pedagogiczną, bo już nie było czasu. Ale fajną miałam nauczycielkę, wyprosiłam taki termin. I zdałam. I pojechaliśmy razem na wakacje.

Witek był moim pierwszym chłopakiem. Straciłam z nim dziewictwo, oczywiście wcześniej niż na tych wakacjach. Ale rodzice nic nie wiedzieli. Już w styczniu zostałam kobietą. Wtedy musiałam oszukać mamę, że wyjeżdżam z koleżanką pod Warszawę, uczyć się. A naprawdę to pojechaliśmy z Witkiem nad Zalew, w zimie. Był przepiękny śnieg, Witka ciotka była kierowniczką domu wczasowego, on załatwił domek na tę jedną noc. I stało się. Potem na śniegu wydeptał w lesie olbrzymi napis „Agata jest na zawsze moja". To były piękne chwile. Zdałam również na SGPiS, żebyśmy byli razem. Bo wspólne zainteresowania łączą ludzi. Trudno wymagać, żeby to mężczyzna się dostosowywał do kobiety, prawda? Ale na trzecim roku rozstaliśmy się. On wziął urlop dziekański i pojechał do Anglii. A ja zostałam w Warszawie. Do dziś nie mogę zrozumieć, dlaczego mnie zostawił. Bo to chyba była ucieczka. Dziś to wiem.

Może herbaty? Ja też lubię herbatę, najbardziej ze wszystkich trunków. Mam cudowne filiżanki do herbaty. Prezent od Jacka. Ten to dopiero dbał o mnie! Wiedział, że lubię prawdziwą, dobrze zaparzoną herbatę. Wyjechał i pierwszym prezentem, jaki mi przysłał, były te filiżanki. Pisaliśmy do siebie dwa razy w tygodniu przez całe osiem miesięcy. Pokazać pani? Mam całą kupkę jego listów. No i stąd pomysł, żeby zająć się pisaniem o miłości, teraz, gdy ogłosiliście ten konkurs.

Osiem miesięcy pisaliśmy do siebie, a ja byłam wierna i czekałam, a potem się okazało, że on jeszcze nie chce wracać. Ile można czekać? Czy to jest miłość? Wiedział, że ja poza nim świata nie widzę. Ale nie wracał. Nie przyjechał nawet na krótki urlop. Gdyby mu na mnie naprawdę zależało, toby przyjechał, prawda? Ja wiem, kiedy mężczyźnie zależy. To się po prostu czuje. Wtedy jest zdolny do wszystkiego, naprawdę do wszystkiego. Wiem, nie po to tu pani przyszła, żeby wysłuchiwać takich rzeczy, ale myślałam, że to interesujące wiedzieć, skąd się wzięła u mnie taka potrzeba, żeby opublikować te wspomnienia. Zresztą, nie wiedziałam, że... to znaczy trochę podejrzewałam, że mogą wzbudzić zainteresowanie, bo przecież ludzie chcą czytać o miłości, prawda? Ale od razu przysyłać dziennikarkę... Dobrze, dobrze, zaraz panią dopuszczę do głosu...

A wracając do Jacka... Jeśli mężczyźnie zależy na kobiecie, to przyjedzie, nawet z bardzo daleka. On był na kontrakcie i nie przyjechał. A inni przyjeżdżali. Ja wiem, że urlop się ma dopiero po roku. Ale byli tacy, co jeździli. Na przykład jak mieli pogrzeb. Podpowiadałam Jackowi, że przecież mogę wysłać teleks, że niby coś się stało. Faksów to nie było tak znowu pod ręką wtedy. Teleks, z poczty głównej. Mama nie żyje czy coś takiego. Wiadomo, że to nieprawda, ale oni nie sprawdzali aktu zgonu. Wiem, bo jak umarła mama mojej koleżanki pielęgniarki z Iraku, to ona na podstawie takiego listu dostała tydzień urlopu i przyjechała do Polski. On nie chciał. Pomyliłam się. Ze mną nie ma żartów. Dopóki kocham, to kocham. Ale nie dam się lekceważyć... Kobieta powinna się szanować.

Może i dobrze, że pani nie chce tych listów oglądać. Po co? Napisałam – wte albo wewte. Wiem, że mężczyzn się nie przypiera do muru, ale to była dojrzała decyzja. Nie wolno dać sobą pomiatać. On napisał, że przyjedzie za cztery miesiące. Żebym wytrzymała. To znaczy, że nie był gotów zrobić dla mnie nawet tak małej rzeczy. Trudno. Sam wybrał. Ile ja nocy przepłakałam, Bóg jeden wie.

Byłam w strasznym stanie, naprawdę strasznym. Świat po prostu mi się zawalił. Cały. Przecież myśmy byli dobrych parę lat razem. I mieliśmy takie piękne plany. Czckaliśmy tylko, aż jego syn trochę podrośnie, żeby przynajmniej nie krzywdzić dziecka, bo cóż ono winne? Jemu się od początku z żoną nie układało. A kiedy chciał odejść po raz pierwszy, to zaszła w ciążę. Wie pani, jakie są kobiety, zrobią wszystko, żeby mężczyznę przytrzymać.

Ładne wzory ma ta filiżanka, prawda? Takie chińskie, delikatne. Kobieta i mężczyzna spleceni w całość. A co znaczą te chińskie znaki, nie wiem. Ciekawa jestem, może kiedyś kogoś zapytam, ale nie znam nikogo, kto by znał chiński.

Jacek nie mógł się zdecydować, żeby zostawić kobietę z dzieckiem. Za to go kochałam. Inny być może nawet by nie spojrzał na kobietę, która w tak beznadziejny sposób nim manipuluje, zachodząc w drugą ciążę. Kiedy się poznaliśmy, opowiedział mi wszystko. Wie pani, że byłam jego jedynym przyjacielem? Ja myślę, że miłość to jest głównie przyjaźń. To, że można sobie wszystko powiedzieć. Że drugi człowiek zostanie zrozumiany. I tak było z nami. Od razu wiedziałam, że będę musiała czekać. I nigdy nie pililam do rozwodu. Wiedziałam od początku, jaki jest układ, i godziłam się na niego w imię miłości. Czytała pani „Pestkę"? Ja byłam taką Pestką. To znaczy Agatą z „Pestki", tak samo mamy na imię... Ale on tego nie umiał docenić.

Po Jacku strasznie płakałam. On zresztą siedział w tym Iraku jeszcze trzy lata. Urodziło mu się drugie dziecko. Też syn. A przecież chciał mieć córkę. I dobrze. Niech sobie będą szczęśliwi. Widać to jeszcze nie było to.

Czytała pani „Tańczącego z Wilkami"? Tam jest takie zdanie: „On musiał odejść, żebyś mógł pojawić się ty". Tak samo jest w moim życiu.

Oczywiście, oczywiście, ale zanim mnie pani o coś zapyta, dobrze byłoby, gdyby mnie pani poznała... no, od tej strony, której na ogół nie ujawniam. Wtedy się lepiej rozmawia, prawda, jak ludzie się znają, zwierzą z czegoś... to inaczej idzie rozmowa. Wiem z doświadczenia.

Zanim zrozumiałam, że w moim życiu coś, co odchodzi, robi miejsce czemuś lepszemu, było mi bardzo ciężko. Straciłam zaufanie do mężczyzn. Wiedziałam, że mogę liczyć tylko na siebie. To mieszkanie to wyłącznie moja zasługa. Mam świetne stanowisko, dobrze zarabiam. Nie jest mi potrzebny mężczyzna z samochodem, bo jeżdżę lepszym. W życiu szukam wyłącznie uczucia. Musiało minąć trochę czasu, żebym znowu mogła kochać. I teraz jestem dużo mądrzejsza, dużo bardziej dojrzała. Sukces, bo nie wątpię, że to będzie sukces, opublikowanie tych wspomnień w waszym magazynie, jest niczym w porównaniu z tym, że zakochałam się z wzajemnością. Warto było czekać.

To wspaniały mężczyzna. Akceptuje mnie taką, jaka jestem, i ja go również. To może być ważne, bo przecież żebyśmy mogły rozmawiać, musi pani wiedzieć o mnie coś więcej. Jest tylko jeden problem. Mój mężczyzna jeszcze nie jest wolny. Taki widać mój los. Ale jestem dla niego oparciem. Jest mu trudno, bo on jest wrażliwy i dobry. Czasem zastanawiamy się, dlaczego spotkaliśmy się tak późno. W tak niesprzyjających okolicznościach. Ale lepiej późno niż wcale. Będę cierpliwa. On wie, że nigdy nikogo przed nim tak nie kochałam. Mężczyznom też potrzebna jest miłość, prawda?

Zaraz, zaraz dopuszczę panią do głosu, wiem, że pani jako redaktorka magazynu dla kobiet zna się na tych sprawach, ale widzę koło siebie mnóstwo małżeństw. Wszystkie są jakieś takie... dziwne. Jakby te kobiety nie przywiązywały wagi do tego, że jest koło nich ktoś, kto ich potrzebuje. Nie mają cierpliwości, traktują mężów lekceważąco. Jakby ślub im dawał prawo do tego, żeby już przestać zabiegać o uczucie. A miłość naprawdę trzeba pielęgnować.

Mój mężczyzna jest ze mną szczęśliwy. Wie pani, że on inaczej wygląda, jak przychodzi do mnie, i inaczej, jak musi iść?

Bo jeszcze przez jakiś czas będzie musiał wracać do domu. Choć tak naprawdę jego dom jest tutaj. Jego szczotka do zębów i maszynka do golenia. Jego niebieski sweter. I ja jestem tutaj.

Mogę czekać. Czas nie ma znaczenia, jeśli się wie, że spotkało się właściwego człowieka. Każda okazja do spotkania jest dla nas cenna. Wie pani, ona to powinna się cieszyć, że ja istnieję. Gdyby wiedziała. Ale Marcin nigdy jej nie skrzywdzi. Jest dobry. Zna pani mężczyznę, o którym to można powiedzieć?

Jeśli nie może wyrwać się z domu, zawsze coś wymyśli. Przed świętami, na przykład, zaproponował jej, że zrobi wszystkie zakupy. I wie pani co? Podał mi listę przez telefon, w ten sposób wygospodarował czas na spotkanie ze mną! Całe popołudnie spędziłam w sklepach, przy okazji załatwiłam i swoje zakupy. A on przyjechał następnego dnia do mnie i mieliśmy dla siebie całe siedem godzin. A potem zabrał swoje paczuszki i w ten sposób ona też była szczęśliwa, że ma dobrego męża, który dba o dom. Ja zresztą przeciwko niej nic nie mam. Tak się po prostu stało, że w ich małżeństwie już nie ma uczucia. Trochę przywiązania, wspólna córka. Ale przynajmniej siebie nie ranią.

Albo, wie pani, nauczyłam się strzyc. On idzie „do fryzjera" – nikt do nikogo nie ma pretensji. Żadnych podejrzeń, żadnego piekła. O to bardzo dbamy. To takie zabawne – zanoszę ten stołeczek do łazienki, sadzam go, i przejeżdżam maszynką, ustawioną na siedem milimetrów... Wszystko trwa dwie minuty... a potem... mamy znowu dużo czasu dla siebie.

Nie mogę uczestniczyć w tamtym jego życiu. Ale jak jego córka miała uczulenie, to ja załatwiałam lekarza. A leki sprowadziłam przez znajomego z Belgii. Zresztą wie pani, jak to jest z uczuleniami. Wynikają najczęściej z nieakceptowania tego, co się dzieje. Więc w tym domu nie może być dobrze.

A ja jestem dla niego ważna. Powtarzał mi często, że gdyby nie ja, nie miałby dla kogo żyć. Nie dałby sobie rady. Poznałam kiedyś jego mamę. Zależało mu na tym. Przyjęła mnie bardzo miło. Czy tak zachowałby się mężczyzna, który chce mieć tylko romans na boku? Wiem, że nie. Matka jest przecież dla mężczyzny najważniejsza i skoro mnie tam zaprowadził, to jakby przypieczętował ten związek.

Nie, nie, proszę mi nie przerywać, ja tylko jeszcze parę słów gwoli wyjaśnienia... Seks jest dla nas ważny. Ale jest tylko uzupełnieniem tego wszystkiego, co nas miało szczęście spotkać. Jestem dojrzałą kobietą i on jest dojrzałym mężczyzną. To nie tylko ta iskra, która spowodowała wybuch naszego uczucia. To już wybór.

Ostatnio jest mu ciężko, bardzo ciężko. Coś w nim pęka, wiem, ale próbuję go rozumieć. Jego córka kończy piętnaście lat. Za chwilę będzie dorosła. Wtedy będzie mu łatwiej zmienić życie. I ja jej przecież też pomogę. Marcin o tym nie wie, ale ja dużo zarabiam i mam na koncie sporą sumę. Jeśli będzie potrzebował pieniędzy, żeby je zabezpieczyć, żeby Asia miała samodzielne mieszkanie, to ja mu pomogę. Zresztą on wie, że zawsze będzie mógł na mnie liczyć. Niezależnie od wszystkiego.

Pyta pani, czy ja się nie zastanawiałam, czyby czegoś nie zmienić?

A po co? Przecież jest dobrze, jak jest. Nie jestem już głupią gęsią, wiem, co robię.

Bardzo proszę, może to pani wszystko napisać, ale ja muszę przeczytać i zaakceptować. Bo z tych moich zwierzeń musi jasno wynikać, że w tym świecie, gdzie ludzie pędzą w stronę kariery i pieniędzy, jest coś dużo ważniejszego. To miłość. Niech pani to podkreśli, jak pani będzie opracowywać mój kawałek konkursowy. Nic nie jest tak ważne jak prawdziwa miłość. I stąd te wspomnienia. Bo dla miłości można poświęcić wszystko. Bo tylko to jest naprawdę ważne.

Dlaczego pani nie pije herbaty? Zimna już. Jak wystygnie, to nie jest dobra, zaparzę świeżej.

Przepraszam, nie dosłyszałam pani nazwiska, z jakiego pani jest pisma? Zresztą, to wszystko jedno, z całym szacunkiem, te pisma wszystkie są jednakowe. Różnią się tylko ceną, a w środku, szkoda gadać, taka sama sieczka. Nie chcę pani obrazić, broń Boże, bardzo mi miło, że tuż przed publikacją zjawia się pani w sprawie uzupełnień... To znaczy, że mój tekst jest coś wart, prawda? Ludzie muszą wiedzieć o miłości więcej, inaczej. To nie tylko telenowela, to ciężkie życie, podejmowanie trudnych wyborów, walka o tę miłość największą, najtrudniejszą, bo prawdziwą.

Mówi pani, że jak Asia to przeczyta, to będzie wstrząśnięta? Nie znam Asi, ale myślę, że prawda, nawet najbardziej bolesna, jest lepsza niż kłamstwo, w którym to dziecko żyje. Zresztą, proszę pani, umówmy się, nie jest moją intencją robienie komukolwiek przykrości. Przecież ja taka nie jestem. Ale wybór... wybór nigdy nie jest łatwy. A poza tym, dlaczego jego córka ma to czytać? A nawet jeśli przeczyta, to więcej zrozumie, może nie stworzy takiego piekła mężczyźnie, który będzie ją kochał, może właśnie dzięki temu, że odważyłam się na opublikowanie takiej historii, zrozumie, że życie w fałszu nie popłaca, a może również zrozumie lepiej ojca – że miał odwagę odejść, kiedy spotkał prawdziwą miłość. Zresztą on czeka, aż ona zrobi maturę. I ja poczekam razem z nim. Obiecałam mu to.

Wie pani, że ta jego nowa praca to właśnie ja? Dzięki mnie ją dostał. Dobrze rozumiana wdzięczność płynie z serca, nie z obowiązku. To była dla mnie przyjemność, móc coś dla niego zrobić. Właściwie pośrednio również dla jego rodziny... Więc nie jestem zła... On ma problemy z przyjmowaniem czegokolwiek... jest taki wrażliwy. Nie umie brać, muszę troszkę nim pomanipulować – mężczyźni nie zawsze robią to, co dla nich najlepsze. Gubią się, nie wiedzą. Wtedy potrzebna jest mądra kobieta. Ja mu zresztą powiedziałam, kiedy mu dawałam kopię pracy konkursowej, którą do was wysłałam: Rozumiem cię, ale to trzeba opublikować i mam nadzieję, że zwyciężę. Wie pani, że on był moim pierwszym czytelnikiem? Był bardzo poruszony, bardzo. Zmienił się na twarzy, przejął, to było widać gołym okiem. Skąd wiem, że to będzie poruszająca lektura? Bo jeśli mężczyzna się tak wzruszył, to co będzie z kobietami? Zresztą, nie oszukujmy się, ja to napisałam głównie dla niego, żeby przeczytał i docenił, co go spotkało, nie o wszystkich rzeczach można w sposób tak otwarty mówić.

Już, już kończę i zamieniam się w słuch, pani jako redaktorka-ekspert... Chciałam tylko jeszcze raz podkreślić, że ludzie, proszę pani, nie zawsze spotykają się wtedy, kiedy są wolni. Czasem muszą dojrzeć do prawdziwego związku.

A skąd pani wie, że zmienił pracę? Przecież ja nie mówiłam... Mówiłam? Wydawało mi się, że nie...

Jak to zrezygnował z tej pracy...?

To pani nie z pisma?

Jak to?

To pani?

Jak to... on panią przysłał?

Dał pani przeczytać, prosił o przebaczenie i dał wolną rękę...

To niemożliwe...

I on panią poprosił?

Nie wierzę...

Bo nie usłyszałam nazwiska... Jak to nie pozwoliłam pani dojść do słowa! Proszę pani, ja w ogóle tego nie będę słuchać!

Ja i tak to opublikuję i pokażę wszystkim! Wszystkim! To pani się kompromituje. Co on mógł zrozumieć? Tacy jak on nigdy nie zrozumieją! Nigdy!

Wobec tego życzę pani dużo szczęścia z mężczyzną, który kłamie, który nawet nie miał odwagi sam przyjść, tylko żonę przysyła do kochanki, takim kurkiem na dachu, taką płaską kartką papieru, co leży tak, jak się ją położy, który jest nikim, słyszy pani, nikim!!! Niech mu pani powie, że jest dla mnie nikim!

Żegnam!

Ale ja się nie poddam. Nie zniszczy mnie pani. Ani on, ani pani. Nikt mnie nie zniszczy, świat jest brutalny, ale ja się nigdy nie poddam...

Niespodzianka

Waldemarowi Ł.

– Nie, nie tak. Mój kochany, mój cudowny.
Drzwi były zamknięte. Nigdy nie zamykała drzwi do swojego pokoju. Ale teraz zamknęła.
Żeby nie mógł się do niej dostać.
Wrócił wcześniej, niż zapowiedział rano.
Bez telefonu. Bez uprzedzenia. Chciał jej zrobić niespodziankę.
– Mój kochany... mój cudny...
Zza drzwi.
Ostrożnie cofnął rękę z klamki. Nie poniży się aż tak, żeby wejść. Jej głos. Głos, który tak bardzo utkwił mu w pamięci, że pokochał i jej głos, i ją, zrobił z niej swoją kobietę. Dał jej wszystko. Miała wszystko, czego chciała.
Oszukała go. Bardziej niż ktokolwiek na świecie. Ponieważ jej zaufał. Uwierzył, że nie wszystkie kobiety to dziwki. I czuł, że ona odwzajemnia jego miłość. Po raz pierwszy pokochał i po raz pierwszy czuł się kochany.
Teraz, pod drzwiami, zrozumiał, że się mylił.
Tak.

Zza drzwi dochodziło:

– Nie, nie tak...

Była z kimś.

Nie pozwoli na to.

Nie spodziewała się go tak wcześnie.

Znał jej lekko przyduszony głos. Głos jakby przyduszony. Głos lekko bolejący. Głos załamujący się. Głos gardłowy. Głos przytrzymywany. Kiedy przyciągał ją do siebie, nagą, jej głos robił się miękki, lekko zachrypnięty. Mówiła – nie, nie, ale słyszał – tak, tak. Po tym lekkim zachrypnięciu, po gardle, kiedy zaczynała drżeć, a jej łono podnosiło się ku niemu, lekko, prawie niedostrzegalnie. Po tym właśnie nieznacznym dygocie głosu, zgodnym z drżeniem ud, jej „nie" zamieniało się w „tak".

– Tak, tak – jej głos zza drzwi. – Ach, ty figlarzu!

Do niego tak nigdy.

Tak radośnie.

I cisza.

Tamten się nie odezwał.

On też niewiele mówił. Kiedy dotykał jej ciała, nie musiał mówić. Był z nią. Czuł ją. Całował ją. Nachylał się ku jej pełnym piersiom, a ona przyciągała go do siebie mocno. Pachniała kobietą tak bardzo, że kręciło mu się w głowie. Należeli do siebie. Teraz i na zawsze. Wtulał głowę w jej łono, aż drżenie obejmowało ją całą – przeciągał ten moment jak najdłużej, aż słabła i rozkwitała dla niego.

– Chodź, chodź do mnie...

Zza drzwi.

– Nie rób tak... Mój kochany, jesteś samą rozkoszą... nie gryź...

Zza drzwi.

Jej głos brzmiał tak czule.

Przynajmniej spojrzeć na nią.

Ale nie do niego mówi „mój".

A przecież kiedy przyjmowała go do siebie, świat się kończył i rozpoczynał w ich dwóch połączonych ciałach. Kochał ją. Zaufał jej. Wiedział, że jest inna – wierna i oddana.

Odwrócił się od drzwi jej pokoju, drzwi, zza których dobiegł jeszcze ten gardłowy śmiech i słowa:

– Ojej, co ty robisz... No chodź, chodź do mnie...

Słowa zarezerwowane dla niego. Tylko dla niego.

Nigdy więcej.

Nie zobaczy jej już nigdy. Bał się, że jeśli spojrzy na nią, jeszcze raz da się nabrać. Już nie chciał być nabierany.

Powoli zszedł do holu, skręcił do swojego gabinetu. Nalał sobie whisky z lodem. Zawsze ona podawała mu drinka, kiedy wracał. Trzy kostki lodu, kropla cytryny, pół szklanki whisky.

– Whisky nie podaje się z cytryną – mówił.

A ona się śmiała.

Po tym poznasz, że jesteś w domu, że ja na ciebie czekam, nikt nigdy nie będzie podawał ci whisky z cytryną, tylko ja, i to na zawsze.

Myliła się.

Tak jak on się mylił.

Sięgnął po wewnętrzny telefon.

– Przysłać ochronę, natychmiast.

Głos miał drewniany.

Kiedy w drzwiach stanął Arthur, już wiedział, co ma robić. Wydał krótkie polecenie. Nieodwołalne. Ostateczne. Ślady ma usunąć, a on już nigdy więcej ma nie słyszeć o tej sprawie.

Milczeć.

Wykonać.

Jeśli grymas na twarzy Arthura był objawem zdziwienia, to szybko został ukryty pod maską człowieka, który zawsze wykonywał rozkazy. Bez zmrużenia oka. Bez zbędnych komentarzy.

Słyszał kroki Arthura na schodach. Sięgnął po szklankę i wypił duszkiem. Teraz Arthur skręci, już nie słychać kroków, miękkie dywany tłumiły każdy dźwięk. Za chwilę będzie po wszystkim.

Dywany w takim kolorze, jaki lubiła. Wszystko dla niej. Uwierzył, że można zmienić świat. Zrezygnował ze swoich dawnych interesów – pod jej wpływem zmienił się. Arthur już dawno na polecenie bosa nikogo nie zlikwidował – bo ona wiedziała, że można żyć dobrze i uczciwie, a on obiecał, że już nigdy nikogo nie skrzywdzi.

Ale obietnica już go nie zobowiązywała.

Bo to ona zdradziła.

Za chwilę Arthur zejdzie. Jak będzie po wszystkim.

Już nigdy nie da się nabrać.

Zanim Arthur stanął w drzwiach, zdążył wypić jeszcze jedną whisky.

– Wykonano?

Głos miał normalny.

– Tak.

– Oboje?

Właściwy człowiek na właściwym miejscu.

Więc to koniec. Dojdzie do siebie, Arthur będzie milczał. Nikt się o niczym nie dowie.

– Co pan każe zrobić z kotem?

Odwrócił się od okna i spojrzał na Arthura. Mały jas-nobury kotek machał łapami, próbując zaczepić o cokol-wiek. Arthur trzymał go z dala od siebie, w wyciągniętej ręce.

– Nie było rozkazu, co zrobić z kotem. Pani Cristi przy-niosła go dzisiaj rano. Nie wiem, co z nim zrobić. Tam oprócz pani był tylko ten kot.

Ostatnie walentynki

– Będę przed jedenastą.

Wsłuchała się w swój głos; brzmiał obco, jak z magnetofonu, jak nie jej własny. Ale to już nie miało znaczenia, ponieważ się zdecydowała.

– Tak późno?

– Tak – potwierdziła, starając się nie słyszeć w głosie Jędrka rozczarowania.

– Uważaj na siebie.

Spojrzała na telefon.

A cóż innego robiła przez całe życie?

– Będę przed jedenastą.

Wtedy będzie za późno na rozmowę.

– Mam wrażenie, że to nie czas na taką rozmowę.

Patrzyła na niego zniecierpliwiona.

Było późno.

– Proszę, przestań choć przez chwilę mieć wrażenie. Spójrz na mnie, spójrz mi w oczy.

Odwróciła powoli wzrok, tęczówka na moment zamigotała w świetle i zgasła jak nagle zdmuchnięta lampa naftowa.

Po tym odwróceniu oczu pozostał jakiś zapach. Jak po zduszeniu knota świecy, który zmęczony walką o przetrwanie, chyli się w lepki wosk powoli i nieodwracalnie.

– Popatrz na mnie – poprosił.

Nie mogła na niego patrzeć. Każdy jego ruch był jej obcy. Budził irytację. Kiedy wyjmował szklanki i robił herbatę. Kiedy wrzucał pachnącą kawę na przygotowany filtr. Kiedy mył szklanki i kiedy zabrudzony fusami kawałek bibuły wyrzucał do kosza.

Każde pochylenie ciała, podniesienie dłoni do włosów, próba wyprostowania ramion, przymknięcie oczu wywoływało w niej głęboko tłumioną niechęć, która stara się wyrwać na wolność, a z którą walczyła cały czas.

Nie mogła na niego patrzeć. Przymknęła oczy i zobaczyła tamtego mężczyznę. Który odszedł sześć lat temu. Który ją zostawił. Dla którego jej wdzięczne dłonie, ożywione jego spojrzeniem, jego uśmiechem, jego czekaniem, spragnione pieszczoty miękły i któremu z radością usługiwały.

Dla tamtego mężczyzny z przyjemnością parzyła kawę i herbatę. A kiedy przypadkiem, u niego w domu, zdarzyło się, że to jego dłonie podały jej pachnący napój... Dreszcz przeszedł ją na to wspomnienie. Kubeczki smakowe na języku witały ciecz z radością. W dłoniach Marcina szklanki nie matowiały, a w jego szklance herbata nabierała niezwykłego smaku i zapachu.

– Spójrz na mnie – usłyszała głos męża i zmusiła wzrok do powrotu. Spojrzała.

Zmarszczki koło oczu. Brzydkie. Irytujące. Ten błagalny wyraz spranych niebieskich tęczówek. Cienie pod oczyma. Z niewyspania i troski. To dla niej te cienie na jego skórze, pergaminowej, szeleszczącej skórze, która chce litości.

– Przecież patrzę.

– Tyle lat, tyle lat przeżyliśmy razem.

Głos miał schrypnięty, kiedyś palił.

Wzdrygnęła się. Nie chciała słuchać tego głosu.

– Pójdę spać.

– Nic dla ciebie te wspólne lata nie znaczą?

Znaczą?

Oczywiście że znaczą. Teraz nabrały znaczenia. Tyle czasu zmarnowała. Siedziała i leżała, stała i biegła, spieszyła się i nudziła, była zmęczona, ospała i rozczarowana... Znaczą. Wiele znaczą. Znaczą stratę. Znaczą niewolę. Już dosyć. Już nigdy więcej.

Ciemność w piersiach podniosła się i ruszyła do gardła.

Wstała. Musi chronić tego mężczyznę. Nie pozwolić, żeby go coś dopadło. Coś, co wyjdzie z niej bez kontroli i... może nie zdążyć temu zapobiec.

Ostatecznie przeżyli razem prawie sześć lat.

Może nawet nie najgorsze sześć lat. Ale już dosyć.

– Położę się w pracowni – powiedziała.

– Poczekaj!

Smagnęło ją mocno, ale nie pozwoli, żeby ją dopadło. Nie chce leżeć koło niego. Nie chce kłaść się do tego samego łóżka. Chce odejść. Poszukać. Odnaleźć prawdziwą miłość. Nie tracić prawdziwego życia.

– Dobranoc, porozmawiamy jutro.

Nie będzie się więcej bała, brzydziła, irytowała, patrzyła na obcą teraz, niegdyś znajomą twarz, świat można zmienić i siebie można zmienić, życie można zmienić, tak, tak, tak, tak, tak...

Skoro podjęła decyzję, nie ma odwrotu. Tyle czasu się zastanawiała, myślała o wszystkich za i przeciw, myślała o wspólnych latach i nie znajdowała w nich nic dobrego. Myślała o przyszłości, o tym, że zostało tak niewiele czasu, paręnaście lat – jeśli będzie o siebie dbała, paręnaście lat dobrego, sprawnego życia, seksu, czerpania przyjemności pełnymi garściami, jak dobrze pójdzie tylko paręnaście lat – i złapała się na tym, że to takie banalne. Ale czas na zmiany kurczył się w jej marzeniach w sposób zastraszający. Już dziś – podejmowała od jakiegoś czasu bladym świtem taką decyzję – to dziś, nie będę odwlekała, wszystko dziś się stanie, dzisiaj porozmawiam. Każdy ma prawo do szczęścia. Każdy ma prawo do zmiany własnego życia.

Przecież nie była z Jędrkiem szczęśliwa.

Była szczęśliwa z Marcinem.

Kiedyś. Dawno.

Każdy dzień będzie jak wino, każdy poranek jak wieczór, a świt, nasz wspólny świt – pomyśl o tym, dla takiego świtu, jedynego w życiu, można umrzeć, można żyć, można spalić wszystkie mosty, można frunąć, można pracować, można się nie dawać, można przestać tęsknić, można przestać się bać, tego jednego świtu strach nie będzie miał do nas dostępu, wszystko zależy od ciebie...

Szła schodami na pięterko, do ich wspólnej sypialni, i wstręt powoli wchodził w jej ciało, w szczupłe nogi, ręce, które trzymały poręcz tak silnie, jakby miała zamiar unieść się, oderwać od stopni. Szła po koc schowany w garderobie, piżamę, która, złożona pod kołdrą, czekała na nią każdego wieczoru. Dzisiaj będzie spała w pracowni. A jutro, jutro pierwszy wolny świt zastanie ją zmienioną, bez wahania, bez odwoływania się do tych prawie sześciu lat.

Jutro wstanie nowy świt.

Minęła Jędrka w drodze na dół. Miał spuszczone oczy, odsunął się do ściany. Taki właśnie był. Nigdy o nic nie walczył. Jak przekonał ją do ślubu? Po takim mężczyźnie jak Marcin?

Nie mogła tego teraz zrozumieć.

Marcin...

Mężczyzna jej życia, dwie połówki jedności, która tylko im się przydarzyła od początku świata i nikomu więcej.

...nie powinienem pisać, ale muszę. Będę czekał na Ciebie, będę czekał. Nie mogę zrozumieć, co się stało, że Cię straciłem. Nie mogę spać i nie mogę nie spać. Oddycham, ale jakbym nie oddychał. Straciłem Cię – to najgorsze, co mogło mnie spotkać i o czym nie mogę zapomnieć ani przez sekundę... To, co nas łączyło, to było coś very special, amazing, wiesz o tym i pamiętasz, spróbujmy jeszcze raz...

Położyła koc na krześle i siadła na brzeżku. Rozpłakała się. Nie mogła tak ani chwili dłużej. Ani siedzieć, ani żyć, ani trwać, ani udawać, że cokolwiek łączy ją i męża.

Marcin odszedł prawie sześć lat temu. W czerwcu będzie sześć lat. Wyszła za Andrzeja w styczniu. Był dobry, opiekuńczy... To nie są wystarczające powody do wyjścia za mąż. Ale wtedy chyba go kochała. Marcin zniknął – musiał mieć przestrzeń do życia, wyjechał do Londynu, obiecał, że wróci, napisze... Nie wrócił, nie napisał... Potem usłyszała plotkę, że dojechała do niego Miśka...

A Andrzej był na miejscu. Zakochany od zawsze, cierpliwie wyczekujący sposobności, żeby ją oplątać, żeby nie wiedziała, co robi.

Nie, nie może być aż tak niesprawiedliwa.

Andrzej po prostu był. Nigdy jej nie zawiódł. Kiedy spadła na nią miłość do Marcina – zrozumiał. Odsunął się w cień. Ale kiedy go potrzebowała, materializował się tuż przy niej, jakby nigdy nie odszedł dalej niż pół kroku. Pocieszał, rozumiał, rozmawiał.

Nie.

Nie tak.

Andrzej czaił się i skorzystał ze sposobności, że jest sama, że czuje się rozczarowana i porzucona.

Podniosła się i narzuciła prześcieradło na tapczan. Tapczan był zielony, kiedyś, kiedy go kupowali. Teraz tu i ówdzie zieleń przeszła w szarości, a ciepły aksamit świecił jak wypolerowane srebrne łyżeczki. Usiadła ciężko i oparła głowę w zagłębieniu łokcia. Łzy spływały po policzkach, aż za uszy. Najtrudniej było udawać, że ich cokolwiek łączy.

Otarła wierzchem dłoni nos. Mokry ślad tej rozpaczy tarła drugą dłonią, aż zniknął, a skóra nabrała czerwonego koloru. Nie można tak żyć.

Po co za niego wyszła?

Podniosła się i otworzyła drzwi. Ukradkiem weszła do łazienki, odkręciła kran z ciepłą wodą i przemyła twarz. Podniosła wzrok i zobaczyła w lustrze kogoś obcego. Woda ciekła do umywalki, a ona przyglądała się sobie z niedowierzaniem. To ja? Te ciemne sińce pod oczami? Te drobne zmarszczki w kącikach oczu? Ta cienka skóra, napięta skóra, która nie chce już nic przykrywać? To są lata mojego szczęśliwego małżeństwa?

On mnie nie kocha.

On mnie nigdy nie kochał.

On...

Jej zielone oczy zmrużyły się ze złości.

Przecież przed nią całe życie. Bez względu na to, ile jej jeszcze zostało czasu, cała reszta życia jest przed nią. Nie wolno tego zmarnować.

Zakręciła kurek. Cichy szum wody ustał nagle. Sięgnęła po ręcznik i osuszyła twarz. Podniosła obie ręce do policzków. Lekko czerwone, popękane naczynka krwionośne – no cóż, nie była młodą dziewczyną. Była dojrzałą kobietą.

Dojrzałe kobiety potrafią zmienić swoje życie.

Wklepała krem dokładnie, miejsce przy miejscu. Ale ciemne sińce pod oczami nie zniknęły, a oczy nie nabrały blasku.

Potem wróciła do pracowni i cicho zamknęła za sobą drzwi. Zdjęła ubranie i na nagie ciało wciągnęła miękki podkoszulek.

Każdy ma prawo do błędu, wybacz mi. Nie wiedziałem, co tracę. Nie wiedziałem, że kocham Cię mocniej niż cokolwiek i kogokolwiek na świecie. Nie powinienem pisać do Ciebie, wiem, ale wybacz... To silniejsze ode mnie...

Zawsze kochała Marcina. Kochała go. Kochała od czasu, kiedy zobaczyła go po raz pierwszy, do dzisiaj. Kochała mimo śmiertelnego ciosu, jaki jej zadał, wyjeżdżając. Kochała miłością beznadziejną, ciężką jak zapach perfum OPIUM, które kupił jej w rocznicę poznania, kochała go sercem, ciałem, marzeniami. Choć rzeczywiście, dzięki Andrzejowi na chwilę zapomniała o nim.

Tęskniłam do niego przez te wszystkie lata! – Ta myśl sparaliżowała ją na moment. – Tęskniłam do niego. Czuła się taka samotna. Andrzej to wykorzystał. Pobrali się. I mieli żyć długo i szczęśliwie. Nie pamięta tych pierwszych miesięcy po ślubie. A zaraz potem przyszedł list. Pierwszy, drugi, trzeci...

Nie mogę sobie wybaczyć, że tak lekkomyślnie zdecydowałem, że moje życie będzie pozbawione sensu. Ty byłaś moim życiem...

Nie odpisała. Bała się.

Odpisała dopiero na czwarty. Odpisała chłodno – że za późno na wszystko, że miłość to odpowiedzialność, że nie zrani Andrzeja, że jest żoną.

Ale Marcin pisał.

A ona w tajemnicy przed Andrzejem odpisywała.

On pisał, jaka jest dla niego ważna, ale że oczywiście nie będzie niszczył jej życia. Pisał o słońcu nad Tamizą i biciu Big Bena, o tym, jak żałuje, że jej nie ma.

Ona pisała o swoich planach i o przeszłości.

On pisał, że ją rozumie, że jest mu bliska. O Londynie – pustym, pięknym mieście o świcie, kiedy przejrzyste niebo przegląda się w mokrych chodnikach, a pierwsze promienie słońca rozświetlają powietrze i przypominają mu jej oczy.

Ona pisała, że jest jej jedynym przyjacielem, któremu może się zwierzyć i który ją rozumie.

On napisał, że przyjaźń mu nie wystarcza.

Ona napisała, że nic więcej nie może mu ofiarować i żeby więcej nie pisał.

I wtedy przyszedł List Ostatni. W styczniu, pięć lat temu.

Nie mam wpływu na Twoje życie. Ale nie mogę wykluczyć, że coś się stanie, że zmienisz zdanie. Jeśli tak będzie, nic nam nie przeszkodzi... nigdy... Jeśli kiedyś okaże się, że zmienisz decyzję – będę czekał.

Nie odpowiadaj. Ale wiedz – przez pięć lat czternastego lutego będę na Ciebie czekał w Londynie w Valentine.

Jeśli przylecisz samolotem i wysiądziesz na Heathrow (II terminal), w hali przylotów znajdź wejście do metra i wsiądź w Piccadilly Line. Dowiezie Cię na South Kensington. Na wprost wyjścia lekko w lewo zobaczysz Old Brompton Road. Jeśli pójdziesz tą ulicą, trafisz na pub VALENTINE.

Czternastego lutego przez pięć następnych lat będę na Ciebie czekał od osiemnastej do wpół do dwunastej. Przesiaduję często w tym pubie, zamawiam one pintę of Lager i godzinami patrzę w ogień na kominku. Przyciszona muzyka pozwala mi oderwać się od świata, w którym Ciebie nie ma. Kiedy siadam w boksie (dwie pluszowe kanapy, okno na ulicę przysłonięte sutą białą firanką), czuję się jak w domu, który mógłby być naszym wspólnym domem. Przed oczami mam obraz dziewczyny przy koniach. Dziewczyna w białej sukience trzyma rękę tuż przy chrapach, ale patrzy gdzieś w dal i ma ten sam smutek w oczach co Ty. Tutaj jesteś ze mną, tylko moja, w ciężkich złoconych ramach. Wychodzę stąd późno po drugim dzwonku. Pierwsze uderzenie dzwonu nad barem obwieszcza – last order! – jeszcze można zamówić ostatniego drinka, drugie przypomi-

na, że czas kończyć, trzecie zaprasza do wyjścia. Zawsze wychodzę przed trzecim – ale każdego czternastego lutego będę siedział do końca i marzył, że pojawisz się w drzwiach, podejdziesz do mnie i powiesz: Jestem.

Pozwól mi żyć tą nadzieją i nie odpisuj. Bądź.

Pamiętaj – czternastego lutego, przez pięć następnych lat. To będzie Twoje zabezpieczenie, Twój glejt i moja nadzieja.

Kocham Cię.

Marcin

Przypomniała sobie tamto równe, drobne pismo, zszarzałą kartkę, godziny czekania, mijające wiosny i jesienie, rozkwitające i przekwitające trawy, czterolistne koniczyny, zbierane i zamieniające się w pył – wszystko przemknęło przed jej oczyma, jakby miało już tego więcej nigdy nie być, jakby tam była ukryta tajemnica, a człowiek bez tajemnicy nie istnieje...

Więc ona swoją tajemnicę hodowała jak egzotyczny kwiat. Tam gdzieś, we wszechświecie, on na nią czeka. Kocha. Dni stawały się bardziej radosne, a noce odświętniejsze. Gdzieś tam, daleko – brzmiało jak zapomniany dźwięk harfy, poruszający najczulsze struny serca. Patrzyła na Andrzeja czasem stamtąd i on czasem łapał ten jej wzrok, w którym nie było jego, prawowitego męża, lecz marzenie, i wtedy jego uśmiechnięte oczy przyprószał smutek.

Ona pytała:

– O co ci chodzi? Kochany...

A w nocy uśmiechała się do ciemnego sufitu, bo gdzieś tam...

Nic się w jej życiu nie zmieniło.

Nie chciała ranić Andrzeja. Ślub był dla niej świętością, małżeństwo obowiązkiem, wspólne życie – odpowiedzialnością. Tak samo czuł Andrzej. Nie po to się pobrali, żeby niszczyć tę więź, rozstawać się, gonić za niewidocznym i wymyślonym. Nie.

Ale powoli i nieubłaganie w jej życie sączyła się nadzieja na zmianę. A gdyby – ukradkiem wślizgiwało się do jej myśli – gdyby... gdybym jednak... Może coś tracę.

I oto zbliżała się piąta rocznica Wielkiego Czekania. Po raz ostatni Marcin siądzie w barze Valentine i po raz ostatni, tak jak napisał, będzie na nią czekał.

Jeszcze dwa lata temu spędzali walentynki razem z Andrzejem w domu, przy prawdziwym szampanie, Andrzej dostał od jakiegoś pacjenta, więc jeszcze dwa lata temu w ten wieczór – spędzony z mężem na myśleniu o samotnym, czekającym na nią Marcinie – przechodził ją dreszcz.

Teraz zbliżający się czternasty lutego budził w jej sercu panikę. Lodowaciało jej serce dla Andrzeja i rozpalało gwałtownie żarem na wspomnienie Marcina.

Ostatnie walentynki, kiedy on na nią będzie czekał. Ostatni raz. Małżeństwo? Nie, nie chce małżeństwa. Chce się rozstać z Andrzejem. Bo nie kochają się. On jej nie kocha, nigdy nie kochał z taką pasją jak Marcin. Nie zrobiłby dla niej nic szalonego, nic, co chociaż odrobinę wystaje ponad przeciętność, ponad kanapę w kolorze zielonym, poza herbatę przy śniadaniu, poza zakupy – pomóc ci? Nic. To nie miłość, to jakieś cholerne przyzwyczajenie.

Kiedyś nie wróciła na noc do domu. Ot, tak sobie, żeby sprawdzić, co się będzie działo. Spała u Zośki, gadały do późna. Rano czekała na krzyk, wyrzut, awanturę, zazdrość. Nic. Popatrzył na nią smutno:

– Przykro mi, że się nie liczysz z moimi uczuciami. Mogłaś zadzwonić.

– Nie jesteś zazdrosny? – wrzasnęła wściekła, zawsze ją drażnił ten jego cholerny spokój, ta bezpłciowość, ta obojętność.

– Dlaczego mam być zazdrosny? Przecież ci ufam. Ale tak się nie robi. Bałem się, że ci się coś stało.

Przeprosiła go zdawkowo, rozczarowana tym letnim tonem głosu, ale przeprosiła.

Jestem zazdrosny o każdą chwilę, którą on z Tobą spędza. Jestem zazdrosny o każde Twoje spojrzenie, jestem zazdrosny, że to nie ja widzę Cię rano, kiedy się budzisz. Ukradłem sobie życie. To moje chwile, moje rozmowy, moja Ty – a należysz do niego. Nie mogę go nawet nienawidzić, mogę tylko sobie do końca życia wyrzucać błąd, który popełniłem i za który zawsze będę płacił...

Teraz albo nigdy.

Odrzuciła koc i znów weszła do łazienki. Puściła szerokim strumieniem ciepłą wodę. Woda nierówno wirowała, wpadając w otwór. Nie udało się. Jeszcze raz porządnie namydliła ręce. Palec wydawał się grubszy niż zwykle, opuchnięty. Na różowym mydle zostały podłużne wyżłobienia. Spróbowała raz jeszcze. Ciche brzęknięcie świadczyło, że tym razem próba się powiodła. Gwałtownie zatkała dłonią odpływ wody i wyłowiła krążek złota. Położyła na mydelniczce i zakręciła wodę. Wytarła ręce. Na serdecznym palcu został ślad.

Nie zdjęła jej nigdy w ciągu tych prawie sześciu lat małżeństwa. Ani na chwilę. Ale teraz ten symbol nie miał żadnego znaczenia. Przetarła zaparowane lustro papierem toaletowym. Drobniutkie strzępki przylgnęły do wilgotnej powierzchni. Z lustra patrzyły na nią wystraszone oczy.

– To ja?

Zdziwienie natychmiast się podwoiło i wróciło do niej. Przestraszona brakiem nadziei w spojrzeniu tamtej z lustra, spojrzała odważnie.

– Zasługuję na miłość – powiedziała.

Strach z oczu tamtej, Lustrzanej, nie zniknął.

– Zrobię to.

Lustrzana zwróciła jej gniewnie ściągnięte brwi.

– Każdy ma prawo walczyć o swoje szczęście – zaszeptała bez przekonania, zbliżając twarz do Lustrzanej.

I znowu Lustrzana zamarła, jej twarz zmatowiała pod parą oddechu.

– Nie powstrzymasz mnie.

Wzięła do ręki ręcznik i przejechała po twarzy Lustrzanej, zbierając strzępki papieru toaletowego.

Zapaliła światło w pokoju.

Oto stół, przy którym pracowała. Duży. Musiały się na nim mieścić projekty. Oto komputer wzięty na raty. Oto zasłony z żółtego aksamitu, który miał rozświetlać ich życie. Oto stół, przy którym kiedyś jedli – stał w kuchni, zanim została urządzona przez projektanta wnętrz. Teraz tam już nie ma stołu – są blaty i szafki, górne oświetlenie, metal, kuchenka mikrofalowa, wygodniej odgrzewać jedzenie. Oto miejsce na mieszkanie, w którym nie stworzyła domu. Oto miejsce, które porzuci, zostawi, zapomni.

Jutro jest trzynasty lutego. Teraz nie ma kłopotów z biletem lotniczym. Ludzie boją się latać. Pojutrze poleci. Wyląduje na Heathrow, znajdzie metro, wsiądzie do Piccadilly Line, a potem...

Pomyłki trzeba naprawiać.

Andrzej zrozumie. Lepsza prawda niż być oszukiwanym. Będzie jej wdzięczny, kiedyś; może nie jutro, może nie pojutrze, ale kiedyś będzie jej wdzięczny. Jutro z nim porozmawia.

Stała na Okęciu i przyglądała się tablicom odlotów. Lot nr... do Londynu... wejście nr... Lekki bagaż, brązowa torba, którą Andrzej przywiózł ze Szwecji, zniknęła pod gumową zasłoną.

– Pasażerów odlatujących do Londynu, rejs numer... prosimy do odprawy paszportowej.

Ustawiła się w niewielkiej kolejce.

A więc mogła to zrobić.

Mogła to zrobić tyle lat wcześniej.

Ciekawe, czy zmienił się przez tych pięć lat. Jak wygląda? Ale to przecież nieważne. A jeśli go nie będzie?

Serce na moment zamarło.

Trudno. I tak jej małżeństwo skończyło się dawno temu. Jeśli w ogóle się kiedykolwiek zaczęło. To nie ma znaczenia.

Będzie czekał. Czuła to. Wiedziała.

– Czy podać coś do picia?

Otworzyła oczy. Stała nad nią stewardesa z drewnianym uśmiechem.
– Dziękuję.
Zamknęła oczy.

Andrzej zrozumiał. Zapytał, czy jej decyzja ma związek z Marcinem. Starała się nad sobą panować, ale jego spokój i ta cholerna wyrozumiałość wyprowadziły ją z równowagi. Prawda była taka, że czuła się winna. Jakie to obrzydliwe uczucie, jakby nie miała prawa do miłości, do uczuć, które nie są znane Andrzejowi, krzyczała, że musi walczyć, każdy musi walczyć o siebie, niech on też walczy, ona ustępuje pola, życzy mu szczęścia, każdy ma prawo być kochany!
– Myślisz, że będzie czekał?
Andrzej miał głos napięty do granic możliwości.
– To nieważne! – Kłamała, a głos jej się załamywał. – On... – Nie znalazła słów na opisanie tego, co się z nią działo, i zamilkła. – On mnie kocha... – zakończyła cicho, jakby to wszystko tłumaczyło. – Nie wrócę nigdy, rozumiesz, nigdy!
A Andrzej powiedział wtedy tak, jakby wcale nie była dla niego ważna:
– To jedź.
I wyszedł z pokoju, obojętny i spokojny, jak zwykle.

To było to, przed czym uciekała. Już nigdy więcej obojętności. Nigdy więcej.
Cichy szum silników usypiał, ale ona była podniecona. Otworzyła oczy i spojrzała w dół. Lecieli nad morzem.

Lustrzana patrzyła na nią z pleksiglasowego okna. Trochę zniekształcona, okna w samolocie są grube, podwójne albo potrójne, wypukłe. Kasztanowe włosy – była u fryzjera – Lustrzana miała również krótko nad uszami przycięte. Tak jak kiedyś. Wiły się po obu stronach policzków. Nie widziała wzroku Lustrzanej, tylko ślad oczu.

Zaciągnęła brązowy plastik w dół, Lustrzana nie mogła już jej śledzić.

Co poczuje, kiedy Marcin weźmie ją w ramiona? Czy znajomy dotyk jego dłoni obudzi jej uśpione ciało? Serce szybciej pompowało krew. Andrzej nigdy by nie wpadł na taki pomysł, żeby umawiać się z nią jak w filmie „Prawdziwy romans".

Żeby umawiać się jak w filmie „Bezsenność w Seattle". Nie zna kobiet, nie rozumie, że potrzebują czegoś więcej niż comiesięcznego opłacania rachunków za telefon i czynszu. Czy ma być wdzięczna losowi, że jej nie bije, że nie pije? To za mało.

A Marcin... Marcin miał duszę kobiety... Tak pięknie mówił i tak pięknie pisał. Szukał, ciągle szukał czegoś, co jest w życiu ważne. Nie ograniczał przestrzeni do M-4. O coś mu chodziło w życiu.

O nią mu chodziło w życiu. Walczył. I wygrał.

Lustrzana patrzyła na nią uważnie więc nie zaciągała rolety, też patrzyła na Lustrzaną i szukała wyjaśnienia. Lustrzana milczała. Za Lustrzaną ciemne niebo, pod Lustrzaną chmury. Andrzej... Nie mogła tego zrozumieć.

Lustrzana również nie rozumiała.

– Rozumiesz? – zapytała cichutko, ale Lustrzana milczała nadal, a pasażer obok spojrzał na nią z lekką odrazą.

– Przepraszam – powiedziała i pasażer cofnął nogi. Miejsca między siedzeniami wystarczało na opuszczenie stolika, ale nie na swobodne przejście.

Ruszyła na tył samolotu. Mała kabina pachniała środkiem chemicznym – wątły zwykle zapach lawendy tu był wyjątkowo silny. Oparła się o ścianę i przymknęła oczy. W uszach szumiało i miała trudności z oddychaniem. Odkręciła kurek i schyliła się nad małą umywalką. Obmyła twarz zimną wodą i wytarła papierowym ręcznikiem. Lustrzana również podniosła głowę. Patrzyły sobie w oczy. Nie było w nich strachu, w jednych i drugich schowany głęboko smutek graniczył ze zdumieniem.

Popatrzyła na twarz Lustrzanej. Ładną twarz. Owszem, zmarszczki, a raczej ich zapowiedź. Owszem, naczynka krwionośne. A jakie to ma znaczenie? Lustrzana również mimowolnie skrzywiła usta, jeden kącik podniósł się do góry.

Wróciła na swoje miejsce. 15A. Lekkie drżenie samolotu – znak, że lecą. To lepsze niż lot doskonały, wtedy nie wiadomo, czy jeszcze lecisz, czy może już zaczynasz spadać. A te turbulencje są przyjazne.

Lecimy.

Lustrzana popatrzyła na nią z okna, znad chmur.

– Lecimy – wyszeptała do niej i przymknęła oczy. Nie była pewna, ale wiedziała, że Lustrzana bacznie ją obserwuje. Oczywiście, dopóki ma zamknięte oczy, nie może tego zobaczyć, ale nawet jeśli nagle je otworzy, to zobaczy rozszerzone oczy Lustrzanej. Lustrzana nigdy nie śpi. Lustrzana zawsze czuwa.

Najpierw Heathrow. Wymiana dolarów na funty, nie zdążyła tego zrobić na Okęciu. Stacja metra, Piccadilly Line. Jaki porządek mają Anglicy pod ziemią. Nie ma szans się zgubić. A więc South Kensington.

Pub VALENTINE po prawej. Okna z firaneczkami, przez które niewiele widać. Czeka.

Drewniany kontuar, wiszące kieliszki, alkohole. Kominek kamienny, wygaszone palenisko. Dziewczyna przy koniach. Ściągnięta w pasie gorsetem, suknia do ziemi, kremowa, z koroneczkami, włosy upięte w kok. Patrzy tępym wzrokiem przed siebie. Dwa konie obok. Dłoń w rękawiczce niedbale trzyma cugle. Obok tłum ludzi, meloniki, długie suknie. Taki sobie obrazek w grubych złoconych ramach. Kanapa wygodna – można się zapaść, czerwony plusz miły w dotyku, półmrok, z ukrytych głośników muzyka. I kiedy Marcin stanie w drzwiach i podejdzie do swojego stolika, zobaczy ją. Na jego twarzy najpierw zdumienie, potem niedowierzanie, a wreszcie rozjaśni się uśmiechem sprzed lat.

Kiedy Marcin wszedł do pubu, jej serce zaczęło bić jak oszalałe. Tu jestem – chciała krzyknąć, ale nie krzyknęła. Odwrócił się i spojrzał jej prosto w oczy, a potem szybkim krokiem podszedł do stolika. Ona również wstała i wtedy jego ramiona objęły ją. Mocno się przytuliła, ale jej ciało nie chciało pamiętać. Czuła szorstkość marynarki, obcy zapach wody kolońskiej, a serce biło tylko z wyczekiwania i przyzwyczajenia. Odsunął ją od siebie i popatrzył badawczo.

– Jestem – powiedziała, a on się uśmiechnął.

– Cholernie się cieszę, naprawdę, cholernie, co pijesz? – powiedział i spojrzał na nią wzrokiem pełnym uznania.

Wskazała na stolik; podniósł wysoką szklankę i powąchał.

– Przyniosę ci pół pinta biteru. Trochę gorzkie, ale być w Londynie i tego się nie napić...

Patrzyła, jak idzie szybkim krokiem w stronę baru, i nie rozumiała, co się dzieje. Poruszał się sprężyście, jak młody chłopak, miał świetną figurę i...

Siedzieli przy piwie długo. Chciała mu powiedzieć o tych latach, spędzonych bez niego, ale z myślami o nim, o pomyłce, jaką było jej małżeństwo, o czekaniu... – ale nie powiedziała.

Wyszli z pubu przed ósmą. Była speszona, a Marcin powtarzał, że cieszy się, że przyjechała.

Szli w dół Brompton Road.

Marcin szedł obok niej, niósł jej torbę.

Pół mili stąd jest słynny Hyde Park. Parę kroków do Harrods'a. Z tyłu rezydencja doktora Fridrisha Flicka, Niemca, to najbogatszy człowiek w Anglii, oczywiście oprócz królowej. Zrobił jakieś interesy na przekupstwach i wylądował w Anglii. Miałem kłopot, żeby zaparkować, musimy podejść. W Harrodsie można kupić wszystko, ale trzeba mieć sporo pieniędzy. Tu jest sklep z okuciami – najdroższe, złote, z prawdziwego złota, wiesz, tu ludzie mają forsę, czasami zamawiają okucia do drzwiczek w kuchni w złocie, prawdziwym złocie, mierzonym w karatach, a tu rolls-royce'y, świetne samochody, bardzo drogie samochody, a tu jest niezła dzielnica, domy w Londynie są najdroższe, trzeba mieć pół miliona dolarów, żeby kupić byle co, oczywiście nie w najgorszej dzielnicy, jest jeszcze sprawa morgidżu, każdy bierze kredyt hipoteczny i potem spłacasz dwadzieścia pięć lat, jeśli stracisz pracę, to ubezpiecza cię soszjal sekurity, ale te dwadzieścia pięć lat musisz spłacać, po prostu odwleka się w czasie, dobra pensja to czterysta funtów tygodniowo, no to z tego już można spokojnie opłacać morgidż, z tym że dwadzieścia pięć procent podatku od razu odchodzi, ale to daje i tak dwadzieścia tysięcy funtów rocznie, to już nieźle, ale na przykład w okolicach Park Royal mały domek to tylko trzysta osiemdziesiąt funtów miesięcznie morgidżu. A kiedy cię wywalają z roboty, to soszjal zapewnia odsetki od morgidżu, a morgidż jest zamrożony, bank nie może mnie eksmitować, a co u ciebie? Opowiadaj, jak tam w kraju. Tu zaraz jest meczet, potem polski kościół, zaraz jest knajpa, ale kiepska, tu się nie chodzi. Fajnie, że jesteś, myślałem, że się już nie spotkamy, po drodze musimy wejść, coś do żarcia kupić, ja się stołuję na mieście, taniej, ale mam mikrofale, lubisz gotowe dania?

Otworzyła oczy. Miała rację. Lustrzana cały czas jej się przyglądała.

– Wiedziałaś – szepnęła do niej.

– Proszę państwa, zbliżamy się do lotniska na Okęciu, proszę zająć miejsca i zapiąć pasy. Temperatura w Warszawie minus dziewięć stopni Celsjusza. Dziękuję.

Poszukała dłonią pasa.

Lustrzana zanikała powoli, w dole pojawiły się światła. Samolot lekko się obniżył. Znowu szutrowa droga, trzęsło, w uszach szum się nasilił, uchyliła usta i przełknęła ślinę. Szum w uszach ustąpił. Patrzyła w dół. Za chwilę będzie w Warszawie.

Wystukiwała swój numer telefonu wolno, z wahaniem. Dwa razy odłożyła słuchawkę, kiedy tylko usłyszała jego głos. Za trzecim razem, po zniecierpliwionym „halo" odważyła się zapytać:

– Mogę wrócić do domu?

– To przecież także twoje mieszkanie – usłyszała drewniany głos Andrzeja.

Potem poszła na postój taksówek. Wsiadła do pierwszej, wygodny stary mercedes. Lustrzana patrzyła na nią z lusterka kierowcy. Podała adres i zamknęła oczy. Była zmęczona.

Dłonie Marcina na jej ramionach. Jego dom. Wchodziła z poczuciem niewłaściwości.

– Łazienka po prawej. – Głos Marcina i kobiecy szlafrok na drzwiach. – To ubrania Miśki, jeszcze mi się szwendają po chałupie, po dwóch latach, powinienem je wypieprzyć, nie przejmuj się, cieszę się, że jesteś. – Dłonie Marcina na jej ramionach, stanowcze, jego usta pachnące piwem, szukające jej ust. Wymarzona chwila w Ostatnie Święto Zakochanych.

– Nie. – Odsunęła go stanowczo od siebie. – Nie.

– Przecież po to tu przyjechałaś. – Roześmiał się i nie zważając na protesty, przyciągnął ją do siebie. – Nie udawaj.

Lustrzana w objęciach Marcina, widziała to kątem oka. W objęciach obcego.

– Nie! – krzyknęła do Lustrzanej i Lustrzana wyrwała się z obcych rąk.

Jestem zazdrosny o każdą chwilę...

– Zostaw mnie – powiedziała i wypchnęła go z łazienki. Zamknęła drzwi na obcy zamek. Zbliżyła się do Lustrzanej.

– Co ja tu robię? – zapytała, ale Lustrzana oczywiście nie odpowiedziała. Tylko wzrok jakoś się jej wyostrzył.

Nie rób z siebie idiotki, przecież jesteś dorosła, przecież na ciebie czekałem, no co ty, robisz ze mnie balona, idiotę ze mnie robisz, no co ty, popatrz, wszystko mam, wszystko może być także do twojej dyspozycji, skoro jesteś, to możemy spróbować, a co, życie nam obojgu dało popalić, nie, to kwestia umowy, ja nie mówię, że będzie hajlajf, ale jesteśmy dorośli, po przejściach, to co ci szkodzi, nie udawaj mniszki, no co ty, za świętą chcesz robić? Na mnie nie takie jak ty lecą, zgłupiałaś czy co? Nie pamiętasz, jak nam było fajnie?

Słuchaj, straciłem już wieczór i wyrosłem z takich zabaw. Chcesz, to chcesz, to OK, nie chcesz, to nie, drugie dobrze. Ale to po co leciałaś? Jaki list? Ach ten? Człowiek pisze, bo wiem, że kobiety lubią, jak się takie androny sadzi. Lubiłaś, przyznaj się. Sama mówiłaś, że lepiej, jak zostaną jakieś miłe wspomnienia. No i czy to nie było miłe? Ale życie idzie naprzód, jak to mówią.

Przez pięć lat?

No, czy ja wyglądam na takiego, co by czekał? Nie, nie gniewaj się, nie to chciałem powiedzieć... OK, bądźmy poważni... Prawdę powiedziawszy, trochę tu byłem zagubiony... samotny... A tam Miśka... Nie układało się... a ty zawsze byłaś taka romantyczna... Zresztą ja też, tylko życie płynie, jak to mówią, człowiek musi walczyć o przetrwanie...

No, byłem, oczywiście, że byłem, bo co byś sama robiła tutaj?

Bo ten twój mąż zadzwonił, że będziesz. No to co miałem robić? Przecież taka świnia nie jestem. Ja już nawet dobrze nie pamiętałem, co pisałem... No i wtedy pewno to była prawda... A jak on zadzwonił, to pomyślałem, że to się nawet dobrze składa, bo ja też już, jakby to powiedzieć, jestem sam. To znaczy, bez, wiesz, stałego związku. Z Miśką to nigdy nie miało sensu, ja potrzebuję przestrzeni, rozumiesz, jestem wolny. Człowiek potrzebuje wolności jak powietrza. Nie obwiniaj mnie. Tego Andrzejka to też sobie nieźle urobiłaś. Cwana z ciebie gapa, misiu, nie? Żeby mąż dzwonił, że żona przyjeżdża i będzie czekać w klubie Walantajn, jak na jakimś filmie!

A skąd ja mam wiedzieć, dlaczego zadzwonił? Może miał cię dosyć? No co ty, żartuję, żartuję.

To co z nami będzie?

Wiesz, ja jestem otwarty na propozycje...

A listy? Kto do niej pisał te listy?

– Czterdzieści dziewięć – powiedział taksówkarz i odwrócił się do niej.

Oczywiście, z lotniska zdzierają jak tylko mogą. Wyjęła pięćdziesiąt złotych i wyszła z taksówki. Stanęła na chodniku i czekała, aż taksówkarz wyciągnie z bagażnika jej torbę. Widziała Lustrzaną stojącą na ulicy. Za nią drzwi do domu. Latarnia. A potem Lustrzana na szybie mercedesa odjechała.

– Miałaś rację, nie stworzyliśmy domu.

Andrzej stał przy blacie w kuchni, ona stała w drzwiach. Jego ręce nie nastawiały czajnika, nie drażnił swoimi ruchami, trwał nieruchomo.

– Przecież jestem – wyszeptała cicho, a serce biło równym, mocnym rytmem, może trochę za mocno.

– Jesteś – powiedział smutno. – Ale miałaś rację. Nie można tak żyć. Unieszczęśliwiłem i ciebie, i siebie. Myślałem, że mnie pokochasz.

– Przecież wróciłam.

Głos nie chciał jej przejść przez gardło. Przestraszyła się, że wszystko za późno, zniszczyła coś, co miało szansę.

– Porozmawiamy jutro. – Machnął ręką. – Coś trzeba będzie ustalić.

Wyszedł z kuchni, jego krok nie był sprężysty. Podeszła do czajnika i nastawiła wodę. Lustrzana pojawiła się w ciemnym oknie kuchni. Przygarbiona, nie widać było rysów twarzy, tylko ciemna plama; za Lustrzaną otwarte drzwi.

Odwróciła się i ruszyła w kierunku schodów. Usłyszała, jak Andrzej zamknął drzwi do sypialni, przez otwarte do pracowni zauważyła pościel przygotowaną dla niej, osobno, tak jak chciała, na zielonej wytartej kanapie.

Już stała w drzwiach do pracowni, kiedy Lustrzana popatrzyła na nią z lustra w przedpokoju. I wtedy odwróciła się na pięcie i ruszyła na górę.

Wpadła do sypialni z oczami pełnymi łez.

– Dlaczego do niego zadzwoniłeś? Dlaczego chciałeś, żebym się z nim spotkała? Dlaczego o nas nie walczyłeś! – krzyczała, a on siedział na brzegu łóżka, miał rozpiętą koszulę i patrzył na nią ze zdumieniem.

– Nie chciałem, żeby cię zranił, czekałabyś... na próżno... Jak ja przez te wszystkie lata.

W jego głosie był tylko smutek.

Wtedy pojęła jego spokój, jego oddanie, jego troskę. Stanęły jej przed oczami lata wspólnego życia.

Pomóc ci? Podwieźć cię? Nie jesteś zmęczona? Odpocznij, ja zrobię. Nie martw się. Zobacz, jaki piękny kolor tego tapczanu. Żółte zasłony będą nam rozświetlały życie. Nawet kiedy będzie padać, w pokoju będzie słońce. Chcesz herbaty?

Poradzimy sobie jakoś.

Był koło niej zawsze, spokojny, mądry, czuły. Jak mogła go tak ranić i nie widzieć, że go rani? Jak mogła być aż tak głupia?

Wierzę ci, mam do ciebie zaufanie. Nie muszę cię sprawdzać...

Podeszła bliżej i klęknęła koło jego kolan. Nie ruszył się. Popatrzyła mu prosto w oczy.

Musi walczyć, ma prawo do szczęścia, do zmiany całego życia, musi być silna, nie pozwoli sobie zabrać niczego, już nigdy nie pozwoli sobie niczego zabrać. Chce kochać i być kochana.

– Między mną a Marcinem... nic nie było, nic, przysięgam, czekał... jak go tylko zobaczyłam, to żałowałam... Wybacz mi – patrzyła mu prosto w oczy – musisz mi wybaczyć.

– Nie mam do ciebie pretensji – powiedział cicho.

Chwyciła jego dłoń. Jej puste dłonie chwyciły jego dłoń z obrączką.

– Posłuchaj mnie – mówiła i czuła, że za chwilę się udusi.

– Przepraszam, przepraszam.

– Nie musisz – szepnął. – Jestem zmęczony. Jutro mam ciężki dzień. Porozmawiamy jutro.

Podniosła się z kolan, ugodzona boleśnie, zamknęła za sobą drzwi. Andrzej nawet nie podniósł głowy.

Tej nocy nie płakała.

Leżała z otwartymi oczyma i bez mała sześć lat przepływało przez nią. Ta wolność, o którą tak walczyła – na dzieci jest jeszcze czas, wyjeżdżam, przyjdę, wychodzę, zjedz coś na mieście, tak będzie wygodniej, będę późno, umówiłam się z Zośką do kina... Odpoczniesz sobie...

Gdzie on był w tym czasie?

Czy dla niego też było wygodniej? Lepiej? Zdrowiej? Milej?

Dlaczego nigdy o tym nie pomyślała?

Podniosła się. Musi, musi mu teraz o wszystkim powiedzieć. Zapaliła światło i narzuciła sweter – szlafrok został w łazience na górze, a temperatura spadła do osiemnastu stopni. Piec był zaprogramowany na osiemnaście stopni w nocy.

Wbiegła na górę i wtedy usłyszała bicie zegara. Zadźwięczał raz – pierwsza. Zatrzymała się pod drzwiami.

Ciągle ona, ona, ona. Jest pierwsza, a on śpi. I co, obudzi go? Bo wszystko sobie przemyślała? Przecież on jest zmęczony... śpi... Zatrzymała się z ręką na klamce. Drzwi otworzyły się.

Andrzej stał w piżamie, koło łóżka paliła się lampka. Na łóżku rozłożone papiery.

– Wydawało mi się, że ktoś chodzi...

– To ja...

– Czemu nie weszłaś?

– Myślałam, że śpisz...

Stała ciągle w drzwiach, kiedy on się odwrócił i siadł ciężko na łóżku. Milczał. Nie wiedziała, co ma robić, serce wędrowało od gardła w dół. Andrzej siedział nieruchomo, patrzył na nią jakoś inaczej.

– Przepraszam, nie chciałam cię budzić...

Opuścił głowę i powiedział cicho, tak że ledwie go usłyszała:

– Pierwszy raz pomyślałaś o tym...

Nie wie, jak znalazła się koło niego, znowu klęczała, a gorączkowe słowa wypływały z niej szybko, jakby się bały, że nie zdąży.

– Przepraszam cię nie za te dwa dni, nie, to dobrze, że tak się stało, to mi było potrzebne, należało mi się, dobrze się stało, bo coś zrozumiałam, ja przepraszam cię za te wszystkie lata, przepraszam cię za każdy dzień z tych lat, kiedy byłam ślepa i głucha, przepraszam cię za każdą noc, poranek, świt i zmierzch. Nie karz mnie za głupotę, nie pozwolę ci odejść – mówiła gorączkowo – przepraszam cię. Jeśli mnie choć przez chwilę kochałeś, to mi wybaczysz, popatrz na mnie...

Zaczęła płakać, łzy spływały po jej policzkach i wiedziała, że wstrętnie wygląda, naczynka pęcznieją i chcą się rozerwać pod skórą, nos czerwienieje, a usta zlewają się z czerwoną skórą.

Andrzej wyswobodził ręce i otarł czoło.

– Przestań płakać, będą cię jutro bolały oczy.

Usłyszała troskę w jego głosie, ale już nie miała siły zmierzyć się z tym, co tak konsekwentnie niszczyła. Wybiegła do łazienki i puściła zimną wodę. Lustrzana nachylała się również nad umywalką i podnosiła czerwoną twarz w jej kierunku, mokrą od wody i od łez. Spojrzała na umywalkę – nie było na mydelniczce obrączki. Oparła się rękami o kurek i zaniosła płaczem. Lustrzana również sięgnęła rękami do twarzy, jakby chciała ją zatrzymać na swoim miejscu.

– Dobrze się czujesz? – zapytał zza drzwi Andrzej.

Wszedł do łazienki i oparł się o drzwi.

– Moja obrączka! – Płakała, jakby teraz brak obrączki na mydelniczce był najważniejszy. – Moja obrączka...

Andrzej wyciągnął przed siebie rękę. Złoty pasek skrzył się w dłoni. Nie rozumiała tego ruchu, stała jak porażona, kiedy Andrzej zbliżał się powoli. Wyciągnęła rękę i włożyła obrączkę na palec. Weszła lekko, palce nie były grubsze niż zawsze. Odsunęła się od umywalki, Andrzej podszedł bliżej, woda lała się szerokim strumieniem. Zobaczyła jego plecy w lustrze, a nad nimi twarz Lustrzanej. Lustrzana położyła głowę w zagłębieniu między ramieniem i szyją, ramiona Andrzeja objęły ją. Przyglądała się Lustrzanej znad ramienia Andrzeja. Lustrzana była piękna, chociaż miała czerwone oczy i zasmarkany nos. Lustrzana była piękna, bo dotykała mężczyzny, którego kochała, a ten mężczyzna dotykał jej i ją ochraniał.

– Wybacz mi – szeptała Lustrzana do jej męża. – Tak bardzo cię kocham...

– Wybacz mi... – powtórzyła za Lustrzaną.

Kelner

– Dzień dobry. Panie u nas pierwszy raz?

Justyna podniosła głowę i spojrzała na matkę. Kelner stał nad stolikiem – ugrzeczniony, lekko zgięty w krzyżu, zgięty tym miękkim nachyleniem kelnerów na całym świecie. Nawet jak są wyprostowani, to są zgięci lub gotowi do złożenia się jak scyzoryk w niepewnych rękach.

Milczała, czekając, aż matka odpowie na to niby pytanie, niby zaproszenie do rozmowy.

Matka milczała również, a potem podniosła głowę – nie w jej kierunku, w kierunku kelnera – i powiedziała:

– Kartę proszę.

– Już podaję. Czy może coś do picia? – Kelner zawiesił głos, lekki, służbowy uśmiech nie schodził mu z twarzy.

Patrzyła na niego kątem oka, bo właściwie wpatrywała się w nieruchomą twarz matki, czujna na każdy jej grymas.

– Chcesz coś?

Matka spojrzała na nią, jakby teraz dopiero zauważyła, że nie siedzi przy tym stole sama.

Kelner był przystojny, mimo tej miękkości ruchów, ruchów przyzwyczajonych do służenia, podawania, przynoszenia, był ładnym, ciemnym młodzieńcem o okrągłej twarzy, choć nie widziała jej dokładnie, całą czujność oka rezerwując dla twarzy matki.

– Chcesz coś?

Matka była zniecierpliwiona, więc Justyna szybko wydukała:

– Nie, dziękuję.

– Sok pomarańczowy poproszę.

– Ze świeżo wyciskanych owoców czy zwykły?

Teraz odważyła się spojrzeć na niego, miał pełne usta, ciemne oczy, skupione wyłącznie na matce.

– Ze świeżych – powiedziała matka. – I niech pan nie zapomni o karcie.

Było jej wstyd za matkę, za ten ton głosu, wyniosły, niemiły, przecież powiedział, że zaraz przyniesie, a matka musi piętnaście razy powtórzyć polecenie, tak jakby dopiero powtórzenie je uprawomocniało. Karta. Najważniejsza rzecz na świecie, a on jej tego nie dał. I matka pewnie podejrzewa, że tak jak córka siedząca obok zapomni, zgubi, nie zapamięta.

Kelner uśmiechnął się, lekko pochylił i odszedł.

Milczały.

Rozejrzała się ukradkiem po restauracji. Białe obrusy i kolorowe serwetki, sztućce, dwa kieliszki, jeden duży, drugi mniejszy, do wina, na każdym stoliku bukiecik drobnych kwiatków w żółtym dzbanuszku.

– Proszę bardzo.

Przed matką pojawiła się szklanka soku. Wtedy zauważyła jego dłoń, dłoń o długich palcach; palce rozprostowywały się, żeby usadowić szklankę soku na białym obrusie, a potem dłoń znalazła się na wysokości jej oczu – trzymała granatowe

podłużne menu, oprawione w skórę; paznokcie kelnera też
były podłużne, gładkie, kciuk opierał się o literę „m".

– Proszę.

Jego głos, słowo skierowane do niej, tylko do niej. Chwyciła kartę gwałtownie, żeby nie zwracać na siebie uwagi. Jej
dłoń powędrowała ku karcie za szybko, dotknęła jego kciu-
ka, cofnęła się, karta upadła na obrus, a matka spojrzała na
nią. Starała się nie patrzeć na kelnera, szybko sięgnęła na
stolik, ale oto on znowu trzymał kartę przed nią.

– Przepraszam – powiedział i wtedy delikatnie wzięła z jego ręki granatową cienką książeczkę.

– Dziękuję – wyszeptała, a matka dalej patrzyła na nią
i zimno się zrobiło od tego spojrzenia, obrus stał się jeszcze
bielszy, zaszronił się. Matka spojrzeniem odesłała kelnera na
bezpieczną odległość i zatopiła wzrok w karcie.

Justyna otworzyła menu i pożałowała, że nie miała odwagi zamówić soku. Matka, nie zwracając na nią uwagi, sięgnęła po szklankę i podniosła do ust. Na szkle został perłowy,
ciemny ślad jej szminki.

Trzymała otwartą kartę przed sobą. Patrzyła na czarne literki, które nie układały się w słowa, i zmuszała wzrok do
skupienia. Ręce jej drżały, bała się, że matka to zauważy. Położyła kartę na stole.

– Co ty robisz? – szepnęła matka.

Spłoszyła się. Drukowane litery ułożyły się w wina i likie-
ry. Przewróciła stronę. Dania główne.

Sola w sosie cytrynowym, kotlet schabowy po staropolsku
z ziemniakami z wody i kapustą, kaczka w towarzystwie bu-
raczków – uśmiechnęła się w środku: w towarzystwie buracz-
ków! – to było zabawne, widziała oczyma duszy kaczkę kiwa-
jącą się na krótkich nóżkach, obok dwa albo trzy buraczki,

też na krótkich nóżkach, za nimi dwa ziemniaki, porządnie obrane. Nie będzie jadła kaczki, nie mogłaby zjeść kaczki w towarzystwie.

– Wybrałaś coś?

– Tak...

Głos wydobył się z jej gardła tylko dlatego, że całą uwagę skupiła na nim. Żeby go tylko przepchnąć wyżej, jeszcze wyżej, żeby nie zaskomlał, nie załamał się, żeby się zdecydował wyjść z ust.

– Co? – Matka była zniecierpliwiona.

Utkwiła oczy w karcie.

– Ryż z warzywami.

– Nie możesz jeść samego ryżu, potrzebne ci jest białko. Kelner!

Miał czarne, wypastowane półbuty. Spodnie również czarne. Stanął przy obrusie, ale nie za blisko.

– Tak, słucham.

– Dwa razy łosoś z sosem cytrynowym, jakąś sałatkę do tego macie?

– Polecam z warzywami z wody. Świeża marchewka, kalafior, brokuły, wszystko świeżusieńkie, smaczne, zdrowe...

– Wiem, co jest zdrowe.

O, jakże wstydziła się za matkę, ten pouczający ton, który kroił powietrze na części.

– Oczywiście, proszę pani. – Kelner jeszcze bardziej zgiął się w krzyżu, ton jego głosu w ogóle się nie zmienił. Jak on mógł być taki nieczuły na to, co się działo wokół niego?

– Jakieś desery?

– Może później.

Matka zamknęła kartę i popatrzyła na nią. Buty kelnera oddaliły się, a ona odważnie podniosła oczy.

– Co tak siedzisz?

– Jak? – Odważyła się jednak.

– Nie umiesz być swobodna między ludźmi? Nie naburmuszaj się, jeśli zwracam ci uwagę, słuchaj, to dla twojego dobra... Nigdy nic nie osiągniesz, jeśli w ten sposób...

Justyna wyłączyła się. Wyłączanie się opanowała do perfekcji, patrzyła na matkę uważnie, to znaczy matka myślała, że patrzy uważnie, a ona zamykała uszy i serce i śledziła poruszające się usta, raz po raz odsłaniające białe zęby. Matka chodziła do dentysty co miesiąc, ale biel zębów nie mogła zlikwidować zmarszczek wokół ust, które drgały i wykrzywiały się w takt jej słów.

– Nie umiesz się zachować między ludźmi...

Za wcześnie się włączyła. To jeszcze nie było pytanie, to był repertuar solowy, a usta rozciągały się, język pojawił się, żeby zwilżyć ciemnobrązową szminkę, z której po obiedzie i tak nie pozostanie ani śladu, a matka weźmie do ręki serwetę, stuli usta w dziób, na samą myśl o tym chciało jej się śmiać, i ten dziób dokładnie wytrze, zostawiając brązowe ślady na sztywnym materiale. Usta nagle zblakną, zleją się ze skórą twarzy, nie będzie już taka wyniosła przez moment, może to wina tej szminki, że matka nie może normalnie mówić, nie może rozmawiać, tylko przemawia dniami i nocami, przemawia, uświadamia, poucza, strofuje, troszczy się o nieudaną córeczkę, która potrzebuje opieki, ręki, która by ją prowadziła....

Łosoś był delikatny, prawie bez smaku, ale nie miała odwagi go posolić, matka mówiła, że niszczy przyprawami smak potraw, więc ryby nie posoliła.

– Łokcie – powiedziała matka, a ręce Justyny powędrowały natychmiast bliżej ciała, dotknęła swoich boków, piersi wyprężyły się automatycznie, a głowa uniosła do góry. Łokcie, łokcie, książki pod pachami, żeby nauczyć się jeść porządnie, jak człowiek.

– Ładnie tutaj – powiedziała matka. – Spokojnie. Odpocznę. Odpoczniemy – poprawiła się.

Justyna milczała. Widelec nieprzyjemnie zazgrzytał po talerzu. Marchewka poczerwieniała – delikatnie nabiła ostatnią na widelec i wolno podniosła do ust, gryzła, prawie nie ruszając ustami, a potem odłożyła sztućce na godzinę piątą, tak jak uczyła matka, wtedy kelner wie, że się skończyło jeść.

– Po obiedzie pójdziemy na spacer. Rozejrzymy się, co tu jest ciekawego. Spacer nam dobrze zrobi.

– Dobrze – powiedziała, choć matka nie pytała, tylko jak zwykle oświadczała.

Kiedy kelner pojawił się przy ich stoliku znienacka, spojrzała na niego, podając mu talerz. A on spojrzał jej prosto w oczy.

Plaża była pustawa. Drewniane schody prowadziły w dół, prosto z wydmy nad morze, na wąski skrawek plaży, jasny piasek z betonowymi trójkątami przy wydmie. I kamienie.

– Co roku jest mniej plaży – matka westchnęła – i nic nie mogą zrobić. Morze zabiera od lat kawałek po kawałku. Niedługo nie zostanie nic.

Justyna zdjęła buty i zanurzyła bose stopy w miękkich, zmielonych drobniutko kamieniach. Suchy piasek przesypywał się między palcami. Pieszczota była prawie niezauważalna, a jednak poczuła się, jakby grzeszyła.

– Uważaj, mogą tu być kawałki szkła, lepiej włóż sandały.

Głos matki nie był gniewny, ale oczywiście nie dyskutowała, nie tłumaczyła, że będzie uważna, będzie patrzeć pod nogi i przed siebie, na niebo i na ziemię, ale głównie na ziemię, nie powiedziała, że chciałaby trochę zbliżyć się do wody, w wodzie szkła tracą kanty, okrąglają, woda wygładza nawet szkło, a ono matowieje i zmienia się w drobny zielony lub prawie przezroczysty kamyk, że będzie szła pasem, gdzie woda i ziemia wchodzą na siebie, zaczepiają się, spychają, dotykają, walczą, pieszczą, droczą się ze sobą, kto kogo i kiedy – nie, tego wszystkiego nie powiedziała, tylko kucnęła i dłonią strąciła ziarnka piasku, które ulegle przylepiły się do jej stóp. Zachrzęściło, sandały gładko weszły na stopę, skutecznie oddzielając ją od miękkości i puszystości, od popołudniowego ciepła.

– Oddychaj głęboko, jod jest bardzo zdrowy.

Oczywiście, będzie głęboko oddychać, po to tu przyjechały, żeby oddychać, odpoczywać, odpoczywać i oddychać, więc odetchnęła głęboko i ruszyła za matką.

Kiedy zeszły do restauracji na kolację, było już ciemno. Sala zmieniła wygląd. Górne światła były wygaszone, na stolikach stały świece, kinkiety rzucały plamy światła w dół. Wnętrze zrobiło się przytulne i miłe.

Matka rozejrzała się po sali i ruszyła w kierunku stolika w rogu, przy oknie. Nie był to stolik, przy którym siedziały przy śniadaniu i obiedzie, ale Justyna ruszyła za nią. Dlaczego nie ten sam stolik? Wykładzina tłumiła ich kroki, wykładzina zielona, gruba, w granatowe romby, jak prawdziwy perski dywan. Kelner pojawił się znikąd, natychmiast, ten sam, poznała go po butach i po ruchu serca, które zwykle spokojnie pięło się trochę wyżej i opadało, a teraz ruszyło nagle w bok na dźwięk jego głosu.

– Dobry wieczór paniom.

Nie odpowiedziała i matka również nie odpowiedziała, karty mignęły w jego smukłych dłoniach, czekał cierpliwie, a matka, nie podnosząc głowy, zwróciła się do niej:

– Najpierw zamówimy herbatę. Napij się malinowej, wydaje mi się, że chcesz być przeziębiona.

– Poproszę malinową – odważyła się powiedzieć i spotkała jego wzrok, uważny, bez uśmiechu, wzrok, który słuchał jej ust.

– Więc malinową – powtórzyła matka, jakby nie usłyszała, że przecież zamówienie już zostało złożone. – Jedną malinową i dla mnie małą kawę cappuccino. I zaraz zastanowimy się, co zjemy.

– Już przynoszę.

Kelner zniknął i nawet włosy na wykładzinie nie drgnęły od jego krótkiej obecności.

Kiedy sprzątał ze stołu, przypatrywała się jego zręcznym dłoniom – dwa talerze jeden na drugim, dwie filiżanki ustawione tuż przy brzegach talerzy, kciuk podtrzymujący tę misterną konstrukcję, wskazujący palec na dzbanuszku od herbaty, miękki ruch, pod którym naczynia posłuszniały i trwały nieruchomo, czekając na odniesienie do kuchni. Przeguby lekko falujące, przejmujące cały ciężar oczekiwania na zmywanie, talerze i filiżanki nawet nie zadrżały, kiedy podnosił wyżej ręce i półokręgiem obracał je w powietrzu, jak w tanecznym pas.

Zadrżała ona.

Trzeciego dnia matkę już od rana bolał żołądek. Leżała w łóżku, a Justyna siedziała w fotelu i czytała. Matka liczyła, że ból jej sam minie, ale nie minął. Po południu Justyna wyszła z hotelu do apteki. Dzień był pochmurny, morze szumiało, wiatr wiał od strony lądu, pomyślała, że jeśli się pospieszy, to może zdąży na plażę, zobaczy, co wyprawia woda i piasek, kto tym razem zwycięży, a matka nie będzie miała pretensji, bo nawet się nie dowie. Może skłamać, że w aptece była kolejka, chociaż dotychczas nie skłamała nigdy, ani razu, może z wyjątkiem jakiejś jednej szkolnej sytuacji, ale to przecież było dawno. Biegła w stronę ulicy Portowej, a wiatr dudnił zza wydm, jak ruszający pociąg. Niestety, w aptece była kolejka, wiedziała, że nie zdąży na plażę, a matka nie nadawała się do spacerów, na pewno nie dzisiaj. Leżała blada w ich pokoju, rozłożona książka przy łóżku czekała na wezwanie, ale matka naprawdę źle się czuła.

Justyna kupiła miętowe krople i sulfaguanidynę; kiedy wracała, pierwsze krople deszczu spadały na chodnik.

– Co robiłaś tak długo?

– Była kolejka – powiedziała Justyna, a morze szumiało zza okna zwielokrotnionym przez deszcz oddechem.

– Nie zejdę na kolację, sama idź.

– Nie jestem głodna, mamo – odważyła się powiedzieć.

– Człowiek nie po to żyje, żeby jeść, ale je po to, żeby żyć. Weź warzywa, nie objadaj się przed nocą, będziesz miała koszmary. I powiedz, żeby mi przynieśli herbatę. Gorzką, czarną.

Nie usłyszała prośby w głosie córki, a Justynie na myśl, że sama przejdzie przez hotel i sama wejdzie do restauracji, coś skoczyło do gardła i tam wbiło pazury.

– Idź już, zostaw mnie, na miłość boską, choć na chwilę!

Zeszła schodami, na schodach można nikogo nie spotkać, jeśli ma się odrobinę szczęścia, windy prawie zawsze pełne były jakichś gości, którzy szli albo na spacer, albo ze spaceru, albo do recepcji, albo z recepcji, albo do baru, albo z baru, albo z basenu, albo na basen. Więc schodziła samotnie schodami, oddalając moment wejścia do restauracji, jak tylko mogła. W drzwiach schyliła głowę i ruszyła szybko do tego stolika w rogu, a jej niezgrabne nogi plątały się jak nogi nowo narodzonego źrebaka, szła niezgrabnie i wiedziała, jak strasznie to wygląda, siadła na brzegu krzesła z ulgą i wtedy pojawił się on.

– Dzień dobry.

– Dobry wieczór – odpowiedziała grzecznie i wyciągnęła rękę po kartę.

Jego dłoń była miękka w dotyku, jednak cofnęła swoją, jakby dotknęła węża, a on stał dalej, lekko nachylony, czujny, karta przed jej oczami rosła i rosła.

– Proszę – powiedział. – Czy mogę coś podać... coś do picia?

– Sok pomarańczowy... ze świeżych owoców... poproszę.

Otworzyła szybko kartę i literki zaczęły wracać na swoje miejsce. Stał jeszcze dwie lub trzy sekundy za długo, potem jego buty zrobiły w tył zwrot i nareszcie była sama. Wtedy dopiero odważyła się wziąć głębszy oddech, tak jakby nie oddychała przez ostatnie minuty, i kiedy przyszedł z sokiem, już mogła powiedzieć zupełnie spokojnie, że ryż z warzywami i potem herbata.

Jadła powoli i patrzyła w okno. Wiatr szarpał reumatycznymi sosnami, na szybach mimo wysuniętego dachu pojawiały się krople i spływały nierównymi smugami po szybie.

Kiedy kelner przyszedł z herbatą, była już zupełnie spokojna. I nieprzygotowana na jego pytanie.

– Jak pani ma na imię?

– Justyna – odpowiedziała, zanim zdała sobie sprawę, że jedynym pytaniem, jakie powinien zadać, było nieśmiertelne „smakowało?".

– Ja jestem Mateusz – powiedział i ukłonił się, zabierając talerz.

Prawie wybiegła z sali, nie pamiętała o czarnej herbacie dla matki.

Rano ciągle wiało, ale przestało padać. Matka skrzywiła się, patrząc w okno:

– Nawet do pogody nie mamy szczęścia. Idź nad morze, ja sobie poleżę.

– Poczytam – zaproponowała nieśmiało, ale matka spojrzała groźnie.

– Idź na spacer, po to tu przyjechałaś. Tylko nie spóźnij się na obiad.

Justyna włożyła kurtkę i udając, że nie sprawia jej to przyjemności, żeby nie urazić matki, ruszyła na plażę. Wiało tak silnie, że ze skrawka plaży, który jeszcze wczoraj rozciągał się na szerokość dziesięciu, a miejscami więcej metrów, pozostał wąski pasek piasku, który zalewało raz po raz morze. Niektóre fale lizały betonowe zapory i kamienie. Justyna uśmiechnęła się. Nareszcie sama. Naciągnęła kaptur na głowę i mimo przenikliwego zimna zrzuciła buty. Wybiegła w wodę prosto z drewnianych schodów i ruszyła na prawo. Oddychała pełną piersią, po raz pierwszy czuła smak słonego powietrza aż w płucach. Zaciągała się nim mocno, łapczywie. Woda obmywała jej nogi, a ona, lekka jak piórko, biegła zalaną plażą.

Kiedy spojrzała za siebie, przestraszyła się. Nie widziała ani cypla koło hotelu, ani sosnowego lasu, wiatr zacinał prosto w twarz słonymi kroplami. Plaża była pusta jak okiem sięgnąć, i choć zegarek wskazywał dopiero wpół do drugiej, postanowiła wracać. Szło się teraz trudniej pod wiatr, nie czuła zimna, była mokra i szczęśliwa, ale zdała sobie sprawę, że jest dalej od hotelu, niż myślała. Wiatr zmienił kierunek, fale zrobiły się groźniejsze, białe grzywy ochlapywały jej nogi aż do ud, spodnie zmoczyło jej morze, włosy – bryza. Horyzont był ciemny i zlewał się z ciemnym morzem. Tam, gdzie jeszcze przed chwilą były spłachetki piachu, szalała woda. Wdrapała się na betonowe bryły i uważnie patrząc pod nogi, przeskakiwała z jednej na drugą, kiedy nagle usłyszała warczenie. Na wydmie stał duży czarny pies i pokazywał zęby. Stanęła, przestraszona, zebrane kamyki ciążyły w kieszeniach kurtki, wiedziała, że przed psem nie należy uciekać, i tak zresztą nie było gdzie, i nie okazywać przerażenia – choć przerażenie samo się okazywało.

Z góry usłyszała głos:

– Ratuj, do mnie!

Rozpoznała natychmiast ten głos, choć nie spodziewała się, żeby mógł mieć w sobie tyle siły. Pies odwrócił głowę, ale nie posłuchał, tylko zrobił krok w jej kierunku. Justyna cofnęła stopę, noga zsunęła się z mokrego betonu, pociągając ją za sobą. Poczuła silny ból w łydce, mężczyzna ruszył w jej kierunku prosto przez wydmę, tak jak nie wolno, a pies już nie warczał, tylko patrzył zaciekawiony, co się stało, dlaczego człowiek jest, a potem go nie ma. Justyna leżała między betonowymi trójkątami, a otarta łydka szczypała niemiłosiernie, obmywana słoną wodą. Mateusz pochylił się nad nią.

– Nic się pani nie stało? Proszę mi dać rękę.

Podała mu dłoń, a nogi znowu splątały się jak młode źrebaki, z łydki płynęła krew – ostatni raz była tak skaleczona, kiedy jeździła na rowerze koleżanki i rower wymknął się spod niej, a kolana szorowały jezdnię.

Ręka Mateusza była mocna, ciepła i miła w dotyku. Chwycił ją stanowczo, objął dłonią przegub, mogła się na niej oprzeć, choć czuła wstyd, że dotyka jej kelner, mężczyzna, i że musi na nim polegać. Mateusz nie puścił jej od razu, wyciągnął drugą rękę, a pies przyglądał się temu ciekawie.

Kazał jej usiąść i podwinął spodnie trochę wyżej, wtedy zobaczyła otarcie również powyżej kolana, piekło i bolało, chociaż spodnie nie były podarte, skóra zaniedbała ochronę i ukazała czerwone ciało.

Żaden mężczyzna nie oglądał z bliska jej kolan ani łydek, ani tym bardziej ud, ale była przestraszona, a on już nie kojarzył się jej wcale z tamtym służalczym i służbowym zginaniem, po prostu wziął ją ponownie za rękę i ruszyli w drogę do hotelu.

Nie rozmawiali, zresztą nawet gdyby cokolwiek chciała powiedzieć, nie miałoby to sensu, bo wiatr i morze otulało ich ze wszystkich stron. Czuła się bezpieczna i uwięziona w jego silnej ręce, i niepotrzebne były słowa.

Przed wejściem do hotelu pochylił się nad nią i zaszeptał:
– Jutro wieczorem, przy schodach, od wschodniej strony.

I nie czekając na odpowiedź, odwrócił się i odbiegł, a pies pobiegł za nim.

Leżała otulona kocem i nocą. Patrzyli w gwiazdy, a morze szumiało nieprzyjaźnie. Poczuła obok siebie ruch, odwróciła głowę w stronę Mateusza, w tym samym momencie on oparł się na łokciu i położył głowę na jej dłoni. Patrzył jej prosto w oczy, bez mrugnięcia, widziała to mimo ciemności. Jego druga ręka powoli wyłuskiwała ją z koca. Poczuła dotyk na ramieniu, na bordowej bluzce, jego dłoń chwilę się tam zatrzymała, a potem wolno powędrowała w dół, do łokcia. Wiedziała, że jeśli umknie jego oczom, czar pryśnie, więc nie odrywała od niego wzroku i leżała nieporuszona. Leżeć nieruchomo to znaczy, że cię nie ma, a jeśli cię nie ma, to nie on ciebie dotyka, tylko dotyk dzieje się sam. Nie ma winy i nie ma wstydu tam, gdzie nie ma przyzwolenia ani walki o przyzwolenie; dotyk dział się między ich oczami, a ręka zupełnie osobno szła na spotkanie jej ciała.

Chwilę badała jej przedramię, dotknęła wszystkich palców po kolei, potem rozwartej dłoni; dłoń lekko się ruszyła, ale jego oczy mówiły: patrz na mnie, nie spuszczaj ze mnie wzroku, nasze ręce to co innego, ja ciebie dotykam oczami – więc jej dłoń tylko się ruszyła, na znak, że czuje, i znieruchomiała, a jego dłoń podniosła się do nieosłoniętego bluzką miejsca i tam zatrzymała się również.

Jej oddech zamarł na chwilę, żeby powrócić na skróty, lżej, ale ponieważ nie odrywał od niej oczu, nie zrobiła nic. Jego dłoń zatrzymała się we wgłębieniu jej ciała, tam, gdzie schodzą się obojczyki, poczuła ciepło i zaczęła ze swoim oddechem walczyć, bo serce nagle pompowało za dużo krwi, zrobiło jej się duszno, ale była we władzy tej dłoni, która gładziła lekko jej ciało i zsuwała się coraz niżej.

Nie chciała albo chciała, albo nie wiedziała, chce czy nie chce, ale jego wzrok przytrzymywał ją nieruchomo, a ręka dotknęła piersi i palce wsunęły się pod stanik, najpierw opuszki, delikatnie, a potem cała dłoń otuliła jej pierś, a ona poczuła, jak sutki nagle stają, obie, choć druga była niedotykana, i chciała zamknąć oczy, ale gdyby zamknęła oczy, to musiałaby iść, uciec, udawać, a przecież piersi już zaczęły żyć swoim życiem, nigdy dotąd nierozpoznanym, czuła, jak stanik zaczyna je uciskać, jak materiał wydaje się za szorstki, jak przeszkadza i jak podnieca, i wtedy jego palce powędrowały do tych twardości i leciusieńko nacisnęły, musnęły, ześlizgnęły się z nich, żeby natychmiast trochę mocniej wrócić i nagle coś się stało w jej brzuchu, pod pępkiem, zacisnęło się coś i puściło falą między nogi, ciepłem i wilgocią, ale jego oczy trzymały ją nadal, a ręka zeszła niżej, do brzucha. Pod brzuchem rozlewało się i ściągało, nie wiedziała, co się dzieje, i chciała, żeby dłoń poszła dalej, ale dalej się przecież nie dotyka, chyba że szybko i ukradkowo myje się całe ciało, nie mogła dłużej trzymać tego, co pojawiło się i rozpychało, ścisnęła uda, a palce ręki przechodziły wolno z boku na bok, żeby wrócić pod stanik nagle i niespodziewanie od dołu, podciągnąć ciasny pasek do góry i uwolnić nabrzmiałe sterczące piersi, które dotknęły materiału bluzki i natychmiast zesztywniały jeszcze bardziej.

Bluzka opadła na nagie ciało i ciało przyjęło ten dotyk. Podniósł wyżej głowę, jego spojrzenie wbijało się w jej oczy nieruchomo, ale tam, gdzieś niżej, działo się coś, nad czym nie mogła zapanować. Pilnowała, żeby nie oddychać tak mocno, jak by chciała, więc krótkie wdechy i krótkie wydechy, i tyle ich się zrobiło, bo z brzucha coś chciało wyjść przez zaciśnięte uda, ale przywołanie ud do siebie wywołało tylko popłoch serca, nie widziała związku, ale dołem chciało się serce przetrzepotać, i rozsunęła leciutko nogi, żeby ulżyć temu pragnieniu, a wtedy jego ręka przeniosła się bez zapowiedzi na jej udo i w jednym miejscu jego palce podciągały spódnicę coraz wyżej i wyżej, a materiał bluzki pieścił jej piersi, sam, bez niczyjej pomocy, a udo połączyło się z jego dłonią i prowadziło do góry, na granicę koronki, i oddech nie chciał już wrócić do rytmu, jaki mu narzuciła, palce lekko uniosły cienką gumkę i spoczęły na jej wzgórku łonowym. Patrzył na nią cały czas i teraz wiedziała, że jeśli zgubi ten wzrok, to umrze, umrze ze zdziwienia, umrze ze wstydu i pragnienia, żeby ręka zobaczyła, co się dzieje, dlaczego taka gorącość w tym miejscu, ale jego oczy nie puściły jej oczu, a ręka odpoczywała, ruszając się od jednego połączenia jej uda do drugiego, a między udami działo się, płynęło, gorzało i występowało z brzegów jak morze, fala za falą, coraz silniejsza, coraz bardziej stanowcza, coraz bardziej szukająca wolności.

Jęknęła cicho, a on pochylił się i palce jednej ręki wwędrowały leciutko między jej uda, a jej ciało wychyliło się naprzeciw, wbrew wszystkiemu, zbliżył usta do jej ust, w momencie, kiedy dotknęły ją opuszki jego sprawnych dłoni, otworzyła usta i nogi jednocześnie, niechcący, mimochodem i chciała już, żeby nastąpiło to, czego nigdy nie zaznała, chciała poza chceniem, poza decyzją, poza marzeniem, nogi chciały i piersi chciały, środek brzucha dopominał się o coś, czego nie umiała nazwać, a oczy ich dotykały się w powietrzu i wiązały na zawsze.

Położył się na niej i cały czas przytrzymując jej wzrok, dotykał ud, od wewnętrznej strony, z góry na dół, delikatnie i wolno, od pośladka do kolana, przy kolanie zatrzymywał się, a potem centymetr po centymetrze podnosił kolano, a ono chciało jeszcze bardziej, mocniej, silniej, szybciej, lecz on powstrzymywał to pragnienie przez powolny dotyk i odsłanianie spragnionej tajemnicy, jej uda spięły się po raz ostatni, a potem znów rozsunęły, i obnażone serce kurczyło się i pęczniało między nimi, gotowe na przyjęcie, gotowe na śmierć, wszedł w nią tak, że piersi zmartwiały od nieznanej pieszczoty, od środka jej dotknął i rozstąpiło się, zatrzymało, cofnęła biodra, ale tam już czekały ręce, nie pozwalając jej uciec, ręce, które dawały jej wsparcie, bezpieczeństwo, ręce silne jak dłonie drwala, który kładzie drzewa, ręce zdecydowane na wszystko, ręce podtrzymujące. Spoczęła w tych rękach, oddając im we władanie własne ciało, a morze szumiało coraz bardziej i bardziej.

– Kartę poproszę.
Kelner pochylił się i powiedział:
– Już podaję.
Uśmiechnęła się pod nosem. Matka jak zwykle miała ostry głos, ale to jej nie przeszkadzało. Ostry głos matki łagodził głos Mateusza. Miłość nie zależy od niej, zależy od ciebie.
Pozwalasz sobie na miłość zawsze ty, a nie tobie pozwalają. Możesz kochać.
Mogła kochać i kochała. To, co się zdarzyło na plaży, było uwieńczeniem tego, co stało się wcześniej, co wyzwoliło jej serce i otworzyło ją na oścież.
Matka siedziała naprzeciwko niej, sztywna i nieobecna.
– Zjesz dzisiaj solę – powiedziała, a ona poczuła na podniebieniu smak morza, ostry zapach ryb, uszy wypełniły się kwileniem mew i szeptem Mateusza.
– Chętnie – powiedziała, a matka spojrzała na nią uważniejszym wzrokiem.
– Dzisiaj też idziesz na basen?
– Tak, pływanie dobrze mi robi – wyszeptała i zarumieniła się.

Kłamstwo nie przychodziło łatwo. Basen – to mogła robić bez czujnego oka matki. Wymyśliła więc basen, codziennie wieczorem opuszczała ich wspólny pokój, brała kostium i ręcznik i wymykała się na plażę, gdzie czekał Mateusz. Czasem pływali w morzu, czasem tylko chodzili po plaży, trzymając się za ręce, lub kochali się na wydmach, ukryci przed amatorami wieczornych spacerów.

Tego wieczoru, wychodząc z pokoju z kostiumem i ręcznikiem w plastikowej torbie, nie czuła się dobrze. Matka leżała już w łóżku i może tylko jej się wydawało, ale jakoś tak dziwnie na nią spojrzała. Jutro, pojutrze zawalczy o siebie i swoją miłość.

Jeszcze nie teraz.

Pociąg stukotał równomiernie. Patrzyła przed siebie, fotografia oprawiona w srebrne ramki – zamek w Łańcucie – drżała w takt kolebania się wagonu. Siedziała przy oknie, matka sztywno trwała przy drzwiach – oddalone od siebie najbardziej jak mogły w tej ciasnej przestrzeni. Milczały.

„Nie zobaczysz się z nim, dopilnowałam tego! Wyjechał i nie wróci! Taka to miłość!" – falset matki brzmiał ciągle w uszach Justyny.

Nie zobaczyła Mateusza, matka nie kłamała. Następnego dnia przy śniadaniu obsługiwał ich inny kelner, zgięty w ukłonie, zgięty tym nieśmiertelnym zgięciem kelnerów, kelner o imieniu Jerry, które to imię widniało na plastikowym prostokącie wpiętym w klapę marynarki.

Więc matka jednak nie była ślepa. Tamtego wieczoru poszła za nią na plażę. Wyczekała momentu, kiedy bezbronni leżeli na piasku, osłonięci przewróconym koszem. Justyna pospiesznie naciągała spódnicę, patrząc na piasek, nie śmiejąc spojrzeć matce w oczy, Mateusz stał wyprostowany, przyjmując na siebie cały atak. Umknęła do pokoju hotelowego, połykając łzy. Nie wiedziała, co powiedziała Mateuszowi matka, która wróciła po godzinie i nie odezwała się do niej. Justyna udawała, że śpi, ale spod zmrużonych powiek widziała, jak matka ze wstrętem odkłada jej spódnicę, jakby się mogła pobrudzić, odkłada na krzesło i zmywa makijaż kilkoma wacikami, starannie, jak zwykle, jakby nic się nie stało, jakby nie przyłapała swojej córki i to z kim, z kelnerem.

Justyna głęboko na dnie torby schowała kamień przyniesiony z plaży, dość duży, z miejsca, gdzie pierwszy raz się kochali. Obserwowała przy śniadaniu ręce Jerry'ego. Zgrabne dłonie, miękkie dłonie prestidigitatora, kelnerskie dłonie podały jej złożoną na pół kopertę, którą uchroniła przed wzrokiem matki.

Matka nie odzywała się do niej cały ranek. Ani gdy opuszczały hotel, ani kiedy jechały taksówką na dworzec. Dopiero teraz, kiedy pociąg ruszył, wybuchnęła:

– Myślisz, że cię kochał? Dałaś się wykorzystać! I to komu! Głupia, głupia dziewczyno, nie uszanujesz siebie, to nikt cię nie będzie szanował! Zastanów się, co robisz, co mi zrobiłaś! Nic mi nie masz do powiedzenia?

Justyna zadrżała ze strachu i niesmaku, a potem zamknęła oczy i znikąd, poprzez stukot kół, usłyszała głos Mateusza. Poczuła ciepło jego dłoni, stanowczość, z jaką ją przytulał. Nie da sobie tego odebrać. Nigdy i nikomu. Musiała coś ocalić i nagle drżenie ustąpiło, a ona poczuła, jak jej obudzone ciało prostuje się. Już wiedziała, co ocala.

– Mamusiu – powiedziała łagodnie – mamusiu... nie chciałam ci zrobić przykrości... przepraszam...

Chciała ją przeprosić za to, że już nie będzie jej słuchać, nie będzie jej wiecznie ulegać, nie będzie wiecznie się z nią liczyć, przeprosić za to, że to jest ich ostatnia wspólna podróż, że kiedy wrócą do domu, wszystko się zmieni i nic już nie będzie tak, jak było. Chciała ją przeprosić za własne kłamstwa i za udawanie, przeprosić za to, że od tej pory niewiele z jej życia przecieknie do życia matki, przeprosić, że jej, matki, wpływ nieodwracalnie się skończył i że oto traci córkę na zawsze.

Umieściła w tym „przepraszam" wszystkie swoje tęsknoty od dzieciństwa, od czasu, kiedy leżała w łóżeczku i tak bardzo chciała, żeby mama przyszła, położyła się obok niej, pogłaskała ją po głowie i żeby mogła bezpiecznie zasnąć, ale mama nigdy nie przychodziła, bo jakiś doktor napisał w swojej książce, że dzieci należy przyzwyczajać do samotnego spania.

Przeprosiła matkę, że tego chciała. Przeprosiła za wszystkie inne rzeczy – za to, że jadła łososia zamiast jeść ryż z warzywami, że pozwalała sobą władać, że nie kochała tak bardzo, żeby się wcześniej wyzwolić.

Przepraszając, wybaczyła jej wszystko.

To nieważne, że matka tego nie zrozumie, jej życie już jest inne, bo ona, Justyna, ma to szczęście, że może wybierać, że wydobyło się z niej to, co każdy ma, ale nie każdy odkrywa, a może nawet nie podejrzewa, że to jest. Ona to wie.

Z chwilą, kiedy słowo „przepraszam", miękkie, ciepłe słowo, w którym było tyle miłości, ile tylko mogła zmieścić, przeszło jej przez usta, poczuła jak ciężar, którym jej piersi były obłożone, rozpływa się i znika. Wzięła głęboki oddech, taki, do jakiego po długim płaczu zmęczone płuca tęsknią, i powietrze rozlało się po każdej komórce jej ciała. Teraz poczuła, jak nieważne jest to, co matka zrobi i co powie. Nic już nie miało znaczenia oprócz oczyszczającej prawdy, z której zdała sobie sprawę. Nie chciała pognębić matki.

Ale nie miała zamiaru rezygnować z siebie i to „przepraszam" było przeprosinami również za to.

Stała tyłem do przedziału, widziała w szybie własną twarz – odprężona twarz niebrzydkiej dziewczyny, a może wcale nie dziewczyny, tylko kobiety? Uśmiechnęła się do siebie i poczuła wilgoć pod powiekami. Jakie to proste. Teraz jest gotowa na najgorsze słowa, nie zamknie uszu, wysłucha wszystkiego, nie będzie patrzeć na usta matki, wszystkie słowa przyjmie, bo one nie mają znaczenia, jest umocniona, jest szlachetnym kamieniem, którego nikt nie może drasnąć i dlatego może być sobą, bez względu na to, co powie matka.

Przed oczami miała przesuwające się pola ze snopami zbóż, krowy uwiązane do palików. Stukot kół był miarowy i nie oddalał jej od Mateusza. Tak samo biło jego serce na jej ciele, kiedy ostatni raz leżeli na plaży. Stuk stuk, stuk stuk...

Cisza za plecami dotknęła ją. Odwróciła się. Matka siedziała zwinięta na siedzeniu koło drzwi i patrzyła na nią jak nigdy.

Zrobiła krok w jej stronę, a potem usiadła naprzeciwko. Prawie naprzeciwko, chociaż jeszcze bliżej jej było do okna.

I jej wzrok spoczął na rękach matki, z drobnymi plamkami wątrobianymi, na podmalowanych oczach, podkrążonych podmalowanych oczach i jej serce wypełniła czułość. Matka się starzała, nieodwracalnie odchodziła, być może wcale tego nie zauważając. Justyna przesunęła się na siedzeniu bardziej do drzwi. Były teraz dokładnie naprzeciwko siebie. Z półki pod bagażami zwisała niebieska chustka, jeden jej róg kolebał się w takt kołysania wagonu. Róg zsuwał się coraz niżej i niżej. Za chwilę chustka spadnie i otuli zwiniętą postać. Podniosła się i poprawiła chustkę. Przez moment w lustrze zobaczyła swoją spokojną twarz. Usiadła i wyciągnęła rękę, matka skuliła się, była przecież niższa od niej już od paru lat, dlaczego tego nie widziała? Dłoń Justyny zamarła w powietrzu, a potem, przezwyciężywszy lęk, lekko dotknęła dłoni matki.

– Przepraszam, mamusiu – powtórzyła, gotowa na wszystko.

I wtedy dłoń jej matki zacisnęła się, spięła; zabolało, chciała przez ułamek sekundy cofnąć rękę, ale kiedy spojrzała w twarz matki, zobaczyła tylko starą kobietę z wykrzywioną twarzą, po której płynęły łzy. Nie tylko z oczu, z dziurek od nosa lało się jak dziecku, matka bezgłośnie płakała, jej drobnymi ramionami wstrząsały paroksyzmy, oblizywała usta, poziome zmarszczki na czole podniosły się do góry. Była zdziwiona? Druga ręka matki powędrowała do oczu i rozmazała tak pieczołowicie nakładane rano cienie i tusz. Justyna chciała wstać, podać jej chusteczkę, torebka została przy oknie, ale dłoń matki zacisnęła się jeszcze bardziej na jej dłoni, kurczowo, błagalnie.

– To ja... to ja... – usłyszało otwarte serce i niezamknięte uszy Justyny. Nachyliła się ku matce i delikatnie gładziła zwiotczałą nagle dłoń.

– To ja – szeptała jej matka, zanosząc się od płaczu, nietamowanego płaczu; nos jej poczerwieniał, wyglądała brzydko; pierwszy raz widziała taką matkę, zrobiło jej się wstyd, że na nią patrzy i opuściła głowę.

Patrzyła na ich splecione dłonie, przemieszane palce, matki lekko obrzękłe, ślad po pierścionku – już nie wchodził, zaniosła do poszerzenia przed wyjazdem – ślad utrzymywał się. Widziała okrągłe paznokcie z brązowym lakierem, ślad po oparzeniu żelazkiem, nieduży, prawie niewidoczny, maleńką jaśniejszą bliznę tuż przy przegubie i patrzyła na swoje dłonie, szersze niż dłonie matki, które głaskały tamtą rękę, na swoje ładne dłonie, które jaśniały, jarzyły się od dotyku, miękły i delikatniały.

Gładziła je tak jak Mateusza, uważnie, delikatnie, pocieszająco, gładziła je tak, jak dotykał jej Mateusz, z miłością. Nic się nie stanie, za chwilę matka się podniesie, odtrąci ją, zawstydzona chwilą słabości pójdzie do łazienki, szybko doprowadzi się do porządku, ale to będzie za chwilę, a teraz jest oto niepowtarzalna okazja pożegnać się z nią, słabą, nieszczęśliwą, zalęknioną istotą, która jest jej matką.

Nie usłyszała, że matka coś mówi. A kiedy doszły do niej słowa, podniosła głowę i zobaczyła w oczach matki coś więcej niż tylko żal i smutek.

– To ja cię przepraszam – usłyszała.

I wtedy zrozumiała, że matka również wie, że się żegnają.

Zdążyć przed pierwszą gwiazdką

Noc przed Wigilią była najbardziej przykra.

Święta nie są dla ludzi samotnych, święta są dla rodzin, dla dzieci, dla rodzin z dziećmi, dla par spodziewających się dziecka, dla szczęśliwie zakochanych, dla przyjaciół, dla znajomych – ile wtedy gwaru, zapach ciasta snuje się po domach, choinki, czekające w ogrodach i na balkonach wnosi się do czystych pokoi, pachnie świerkiem, jodły stroszą swoje sztywne ramiona, a w dzbanach panoszą się gałązki, zieleniejąc wesoło. Dzieci się niecierpliwią.

Kiedy niecierpliwiła się po raz ostatni?

Kiedy była dzieckiem?

Bardzo dawno temu.

Święta są dla przyjaciół. To co robimy? Wy do nas, czy my do was? Ach, wspaniale, to my zrobimy rybę, a wy zróbcie sałatkę z czerwonej kapusty. Nareszcie będziemy mieli okazję się spotkać. Wolelibyśmy, żebyście wy do nas. A może wobec tego my do was drugiego dnia świąt? Oczywiście, że pójdziemy na pasterkę.

Święta są dla ludzi, którzy wierzą. W narodzenie nadziei, zbawienia, odkupienie win przeszłych i przyszłych. Dla uduchowionych ludzi, którzy przedkładają chwilę ciszy w pustym kościele nad gwar supermarketów. Którzy w ciszy i spokoju godzą się ze światem.

Leżała w dużym łóżku i próbowała nie myśleć. Nie chciała być pogodzona ze światem, była po prostu nieszczęśliwa. Ale uporczywe tykanie zegara przywoływało wspomnienia. Czego jeszcze dodawała matka do piernika? Jaki smak miały lukrowane gwiazdeczki? Nie, nie. Piecze się i gotuje dla przyjaciół, dla znajomych, dla rodziny. Dla siebie się nie opłaca. Co zrobiłaby z całym sernikiem, piernikiem, rybą w galarecie?

Podniosła się i przeszła do kuchni. Mały domek, w którym mieszkała – od początku, od zawsze, od trzydziestu czterech lat – domek odziedziczony po rodzicach, był miejscem przyjaznym. Stara podłoga zaskrzypiała – dębowe stare deski odzywały się jak przed laty, tym samym dźwiękiem.

Skrzypiała jak kiedyś, wtedy, kiedy skradała się pod pokój kominkowy. Nasłuchiwała pod drzwiami stłumionych głosów rodziców. To gdzie? Teraz? Tu? Połóż tutaj... Ona jest u siebie? Nie słyszy?

Niezrozumiałe słowa i niezrozumiałe dźwięki; drzwi były zamknięte, podwójne drzwi do przedpokoju były przed nią zamknięte, w pokoju kominkowym stał już nakryty stół, choinka w stojaku na trzech nogach, nogach lwa – kto wymyślił taki stojak pod choinkę? – metalowe pazury spoczywały za kominkiem – odsuńcie tę choinkę, zaraz rozpalimy na kominku – choinka była wysoka, ojciec ucinał wierzchołek, który opierał się o sufit, pięcioramienna srebrna gwiazda lekko się kołysała, kiedy ubierały z matką choinkę. A potem, potem rodzice kazali jej iść do swojego pokoju i wypatrywać Świętego Mikołaja.

Siedź w oknie i patrz. Przyjedzie. Może przyleci. Jak może przylecieć, skoro jest na saniach? Te sanie mogą latać. A renifery? Renifery też mogą latać. Nie mają skrzydeł, nie mogą. O to właśnie chodzi, że dzisiaj mogą.

Więc siedziała cierpliwie i patrzyła w ciemność za oknem. Domek rodziców dotykał prawie lasu, okna od strony zachodniej nie zaczepiały nawet o ślad człowieka. Tylko z kuchni i pokoju kominkowego widać było okna sąsiadów, dom przy domu, oddzielone ogródkami i niskim drewnianym płotem.

Po którejś Wigilii zorientowała się, że Mikołaj musi przychodzić od tej właśnie strony, bo nigdy nic nie zauważyła, żadnych śladów sań ani kopyt, ani stóp, a przecież pod choinką piętrzyły się pudełka i pudełeczka dla niej, mamy, taty, ciotki Jaśminy i jej męża Piotrusia, który jest teraz w Kanadzie, drobiazgi dla sąsiadów i ich syna Łukasza, którzy przychodzili po kolacji podzielić się opłatkiem. Ogień wesoło skwierczał w kominku, siedziała zaczarowana koło dużego zielonego fotela, na którym tata rozpierał się wygodnie i zapalał fajkę.

Więc jeśli on przyjeżdżał czy przylatywał od strony pokoju rodziców, to postanowiła podpatrzyć to jego nadejście. Calutkie dni przed świętami była grzeczna – Mikołaj przychodził tylko do grzecznych dzieci – ale nie udawało się. Drzwi do pokoju mama zamykała, a potem były prezenty. Kiedyś udało jej się zobaczyć ślady śniegu na podłodze, te ślady prowadziły do drzwi altany... Potem zobaczyła mokre buty ojca i uśmiechała się do siebie, kiedy mama szybko, szybko prowadziła ją do okna, bo wydawało jej się, że już, tuż-tuż, a może słyszała dzwoneczki?

Więc biegła do okna i uśmiechała się do siebie w brzuchu, tajemnica łaskotała ją lekko, miała swoją własną tajemnicę, o której nie mówiła rodzicom, żeby byli uśmiechnięci i zadowoleni, że wierzy w Mikołaja i renifery. A przecież ona cieszyła się, że buty ojca były wilgotne od śniegu, bo to znaczyło, że tata ją kocha.

A jeszcze wcześniej, w przeddzień Wigilii, zamiast spać, skradała się pod kuchnię, żeby poczuć zapach odwijanego piernika, który matka przekładała do kredensu po dwóch tygodniach trzymania go na dolnych półkach spiżarni. Pachniało miodem i gałką muszkatołową.

To było tak dawno. Starała się, żeby wspomnienia nie miały tu dostępu, ale skrzypienie podłogi pozwoliło na przesączanie się pod zmrużone powieki obrazów, których nie chciała pamiętać.

Ojciec z mamą objęci, przytuleni – córeczka, nasza córeczka, moja córeczka – ojciec puszczał mamę i podnosił ją wysoko, wysoko, tak że mogła zdjąć z górnej gałązki choinki długi cukierek zawinięty w złoty papier – nie, nie róbcie tego, proszę, umówiliśmy się, mama marszczyła brwi, nic nie zostanie z naszej choinki – bierz, bierz, zachęcały śmiejące się oczy ojca, niepewnie szarpała cukierek, choinka drżała pod jej małymi dłońmi – poczekaj, mówił ojciec, poczekaj – odwiązywał ciemną nitkę, mama już nie udawała zagniewanej, a cukier rozpuszczał się wolno w jej dłoni, kiedy druga połowa cukierka ginęła w buzi.

Sięgnęła do lodówki, nikłe światełko małej lampki rzuciło światło na jej bose stopy. Szklanka mleka przed snem pomoże jej zasnąć. Jaka bzdura. Popije melatoninę, piątkę, może jej umysł się uspokoi, tak jak uspokaja się przez te wszystkie dni w roku, w czasie których święta nie mają do niej dostępu.

Zamknęła lodówkę. Czy to nie ona odkryła, że sprzedaż lodówek spada, jeśli spot reklamowy pokazuje kobietę, która zagląda do wnętrza i pokazuje wszystkie półeczki i schowki? Pokazuje i pokazuje, taka wygoda, tu na masło, tu na jajka, tu na butelki, tu na mięso, oto szuflady do zamrażarki, jakież wygodne, jakie czyściutkie, jakie pojemne. Dlaczego sprzedaż zaczęła spadać? Ile czasu jej to zajęło? Odkrycie, że lodówka na spocie reklamowym musi być zamknięta. Nie może być otwarta tak długo. Psuje się. Nie spełnia swojego zadania. Jakie jest podstawowe zadanie lodówki? Trzymać zimno. Utrzymywać stałą niską temperaturę. Kobieta w reklamie rozmrażała lodówkę, zachwycając się niebieskimi, estetycznymi półeczkami. Ile czasu jej to zajęło? Czy to nie wtedy została dyrektorem marketingu? Specjalistką od reklam? Najwyższym autorytetem?

CHCESZ BYĆ MŁODA? CHCESZ BYĆ PIĘKNA? CHCESZ BYĆ NIEZALEŻNA? ZASŁUGUJESZ NA TO!

Szampony, proszki, telewizory, chusteczki higieniczne, samochody, wycieczki, papier toaletowy, farba do włosów.

Wielka aktorka i proszek do prania. Aktorka Seksbomba i pierwsza poważna kłótnia z szefem.

– Nie tak należy zrobić reklamę! Nie tak!

– A jak? Jak to sobie pani wyobraża?

– Ona nie powinna zostawiać śladów szminki po to, żeby je spierać! Mężczyźni będą chcieli zachować ślad szminki, to bez sensu!

– Ale to kobiety piorą te koszule, prawda?

– Jeśli Seksbomba zostawia ślady, to nie po to, żeby je znalazła żona!

– Ten proszek ci pomoże! Oto co mówi reklama!

– Pomoże zdradzać? Tego kobiety nie chcą! One w ten sposób nie myślą!

– Myślą!

– Nie tylko myślą, ale czują!

– Bardzo proszę, to co pani ma do zaproponowania?

Spot został nakręcony. Seksbomba wiła się w ramionach mężczyzny, ślady szminki brudziły biel koszuli.

OTO PROSZEK, KTÓRY WSZYSTKO SPIERZE!

A potem już była Wigilia bez ojca. Zielony fotel został odsunięty pod okno, nikt na nim nie siadał.

Tego dnia matka trzymała ją za rękę, głos miała nabrzmiały łzami.

– A dziecko? Dlaczego nie myślisz o naszej córce?

– Na pewno będziesz się nią czule opiekować.

– Tatusiu, gdzie ty chcesz iść? Kiedy wrócisz?

– Popatrz na nią, spójrz na mnie, nie możesz nam tego zrobić!

– Kiedy wrócisz, tatusiu, mogę iść z tobą?

– Powiedz to, sam jej powiedz, że nas już nie kochasz! Pożałujesz!

– Tatusiu, gdzie ty idziesz, tatusiu, nie odchodź!

– Idź do swojego pokoju, tatuś nas już nie kocha!

– Nie szantażuj mnie!

– Nie masz Boga w sercu! Idź, Natalio, do swojego pokoju! Tatuś już nie chce z tobą mieć nic wspólnego!

– Nie wykorzystuj dziecka przeciwko mnie!

I trzaśnięcie drzwi.

I nigdy więcej mokrych butów w przedpokoju. Ciocia Jaśmina, chlipiąca w Wigilię, pochylona twarz za blisko.

– Biedna, biedna córciu...

Wcale nie była jej córcią, była córeczką tatusia!

– Nie zaczekamy na tatusia? Przecież jest nakrycie dla niego...

I matka podrywająca się od stołu, od choinki, w pędzie porywająca puste nakrycie, czekające na wędrowca, i płacz matki z kuchni, i ciocia Jaśmina biegnąca za nią, i wujek, który niezdarnym ruchem przyciągał ją do siebie.

– Chodź, Naciu, rozpalimy ogień.

Nie lubiła, jak ktoś mówił na nią Nacia – była Natalią, Talią. Nacia brzmiała jak natka pietruszki, a ona nie chciała być pietruszką, była królewną taty, nie zielskiem.

A ogień nie chciał się rozpalić, tata robił to zgrabniej, nie dymiło na cały pokój.

Potem Wigilie bez cioci i wujka. Przeprowadzili się do innego miasta, krótkie kartki: „Niech Bóg ma was w swojej opiece".

Ale Bóg nie miał ich w opiece, w każdym razie jej nie miał w opiece, bo już w żadną Wigilię, kiedy dzieją się cuda, cud się nie zdarzył, tata nie pojawił się w drzwiach, nie wziął jej na ręce, nie zbliżył się do choinki i nie powiedział: „Moja córeczka! Moja duża córeczka!".

I nie odwiązał żadnego cukierka spod sufitu, a choinka nie zachwiała się, stukocząc radośnie bombkami.

Matka z roku na rok stawała się bardziej nieobecna, wpadała w siebie coraz bardziej i bardziej, kurcząc się i maleją.

– Nie ufaj mężczyznom. Musisz sobie radzić sama. Nigdy im nie ufaj – szeptała w rzadkich chwilach przytomności. A potem przenosiła się w swój własny, niedostępny Natalii świat, w którym roiło się od dobrych wspomnień, zatrutych wspomnień, świat, w którym dla córki nie było miejsca.

I wijąca się Seksbomba, brudząca koszulę. I najlepszy proszek świata, dostępny dla twojej kieszeni. Oszczędzisz!

Widzisz, jak ładnie schodzi obca szminka? Możecie po tym proszku dalej udawać, że nic się nie stało! Nie! Nie tak ma być!

Ta Seksbomba niech wybrudzi mu koszulę, dobrze. I niech on, wychodząc, zauważy. I ta Seksomba niech nieudolnie sczyści te plamy, zostaje ślad, szarawy, brzydki zaciek. On wchodzi do innego domu. Wita go inna kobieta.

– W środę też mam konferencję.

Przebitka na łazienkę. Na kobietę. Na proszek. Cięcie. Środa. Patrzy na zegarek. Osiemnasta. Żona wchodzi do pokoju, trzyma w rękach śnieżnobiałą koszulę, bez plam, zacieków, przebitka na ręce Seksbomby z brudną koszulą, on bierze z rąk żony koszulę, waha się, obejmuje ją.

– Nie pójdę, niech sobie radzą beze mnie.

Koniec.

– Pani mi tu jakieś trele-morele proponuje, jak ja to mam w czterdziestu sekundach zmieścić, to opowieść, to bajka! To tylko proszek do prania!

– Ludzie chcą bajek! Ten proszek ratuje jej małżeństwo! A ten mężczyzna widzi, komu na nim bardziej zależy!

– Mówi pani jak prosta kobieta!

– Po prostu odwołuję się do prostych uczuć!

– Myli się pani, pójdzie spot już nakręcony!

Nie myliła się. Sprzedaż proszku zaczęła spadać. Dlatego Seksbomba powędrowała na półkę i poszły spoty prorodzinne.

– Pani Natalio, chciałbym panią przeprosić. Pani intuicja, wyczucie, znajomość rzeczy... Wróci pani na stanowisko? To znaczy, chciałbym zaproponować pani coś nowego... Na nowych, lepszych warunkach...

FARBA DO WŁOSÓW. POKRYJE TWOJE SIWE WŁOSY!

– Nie, panie dyrektorze, niech nie pokrywa. Dlaczego kobiety mają się przyznawać do siwizny? Niech będą radośniejsze, ładniejsze. Może niech przyjaciółce pokażą zdjęcie sprzed. Ale czy ta farba jest dobra?

– A skąd ja mogę wiedzieć, pani dyrektor? Przecież to nie ma znaczenia! My tej farby nie produkujemy! My nie odpowiadamy za jej jakość, odpowiadamy za jakość reklamy! To naprawdę nie ma znaczenia!

– Nie będziemy reklamować niczego, co jest bublem.

– To znaczy, że nie będziemy reklamować niczego.

– Nie, to znaczy, że zajmiemy się takimi produktami, które są coś warte.

– Zbankrutujemy! Nie będziemy zarabiać!

– Owszem, może być chwila przestoju. Ale w przyszłości to my będziemy marką tych produktów. Ludzie się nauczą, że coś, co MY reklamujemy, jest dobre. I wtedy będziemy dyktować ceny.

– Pani żyje w niedzisiejszym świecie, pani Natalio! To się nie uda!

To jest to. Twój pierwszy program. Słuchaj nas, bo my to ty. Twoje marzenie to ta kuchenka mikrofalowa. Jeśli kupisz naszą kawę, on będzie cię budził co rano. Tylko miłość. Weź tabletki na zmęczenie, na znudzenie, zatwardzenie, pocieszenie, radość. Weź proszek przeciw smutkowi, weź syrop od braku opieki, wesprzyj się na sobie.

Kiedy po raz pierwszy w życiu wróciła do domu rano, pełna obaw, ale i radości, że oto stała się kobietą, a widok Krzysztofa, który bladym świtem nachylał się nad nią, był tak wyrazisty, że nogi się pod nią uginały, matka podniosła się z krzesła – nie wie do dzisiaj, czy kładła się tej nocy czy nie – i chwyciła ją za rękę.

– Pamiętaj, możesz liczyć tylko na siebie, nie daj się, bądź twarda. Nie daj się zranić.

– Mamo...

– To nie jest mężczyzna dla ciebie, wierz mi.

Ukrywany od tej pory przed matką związek z Krzysztofem dość szybko przyniósł rozczarowanie. To nie był mężczyzna dla niej. Lepiej było zerwać z nim teraz, póki nie jest za późno, póki pewnego dnia nie stanie przed nią i przed ich córeczką i nie powie „odchodzę". I nie zobaczy go już nigdy.

– Ale dlaczego? Dlaczego? – pytał.

– Nie kocham cię i tyle – powiedziała.

– Ty nie wiesz, co znaczy kochać.

Te słowa uderzyły ją o wiele bardziej, niż chciała się przyznać przed samą sobą. Ona nie wie, co znaczy kochać? Wie.

Po prostu nie lubi świąt.

Melatonina nie zadziałała. I jutro nie idzie do pracy. Jest druga w nocy, a ona siedzi w pustej kuchni i ma przed sobą upiorne święta. I jak na złość zaczął padać śnieg. Rano będzie ślicznie.

*

Śnieg zaczął padać koło drugiej nad ranem. Z dużych, miękkich płatków, które od razu miały ochotę zamienić się w wodę, nie pozostało ani śladu. Teraz z nieba sypała się drobna kasza, która marzła w powietrzu i na ziemi, znak, że chwytał mróz.

Obudziło go zimno – dotkliwe, przenikające na wskroś zimno. Może gdyby cokolwiek wczoraj zjadł, zimno nie miałoby jeszcze dostępu. Ale nie miał nic w ustach od przedwczoraj. Przeciągnął się i zadrżał. Ta pogoda nie wróżyła niczego dobrego. Zwykle mrozy przychodziły po Bożym Narodzeniu, a w tym roku przecież na Barbary był mróz. A jak mówi stare porzekadło: Święta Barbara po lodzie, Boże Narodzenie po wodzie.

Druga w nocy nie jest dobrą porą na ruszanie w drogę. Chciał tylko spać, spać tak długo, dopóki mięśnie zmęczone wędrówką nie odpoczną na tyle, żeby móc dalej iść. Chociaż, jaki to miało sens?

Zamknął oczy i podkulił nogi. Teraz trochę cieplej. Nie myśleć o niczym i nad niczym się nie zastanawiać. Nie pamiętać o świętach, nie pamiętać zapachu lasu w domu, smakowitego jedzenia, radości. Nie pamiętać o przeszłości, bo tego już nie ma.

A jednak, zanim zapadł w krótką, przerywaną dreszczami drzemkę, pojawił się obraz kobiety, którą kochał i za którą tęsknił. I wiedział, że już nigdy jej nie spotka. Łagodnie poddał się marzeniu, które trzymało go przy życiu.

*

Ranek przyszedł zaśnieżony, a z nieba ciągle sypało białe. Spojrzała na termometr. Minus dwanaście stopni. Ubrała się ciepło, włożyła wełniane skarpety w kolorowe pasy i narzuciła na plecy wełnianą chustkę. Teraz nie wyglądała na dyrektora, raczej na wiejską kobietę.

Grzanka wyskoczyła z trzaskiem na blat w kuchni. Niedbale – jakie znaczenie ma jedzenie? – narzuciła na chleb ser z kminkiem i podkręciła ogrzewanie. Z talerzykiem i kubkiem gorącej herbaty ruszyła do pokoju, w którym po śmierci matki postawiła komputer.

Cichy szum stacji dysków, Word 2000 to nie był dobry program, wieszał się już tyle razy, że wyprowadzało ją to z równowagi. W Wigilię się nie pracuje. Jaka Wigilia, taki cały rok.

Pierwsza Wigilia bez matki. Bez jej martwej obecności, bez jej łez i rozchybotanych wspomnień – jak bardzo można być przywiązanym do przeszłości! Matka już od paru lat budziła w niej tylko litość. Im bardziej tak czuła, tym bardziej starała się być dla niej dobra. Uczucie litości zagrażało jej wyobrażeniom o sobie jako o dobrym człowieku. Litość to wyższość, litość to ułomność, litość to niezdolność do współczucia czy współodczuwania, ale niestety, litość sączyła się wszystkimi szparami, kiedy tylko matka drżącą ręką podawała opłatek, a jej oczy robiły się czerwone, napuchnięte od niewypłakanych łez.

– Nigdy nie pozwól, aby ktoś tobą zawładnął, tak jak twój ojciec mną – prosiła. – Obiecaj mi.

Obietnica była łatwa i, co najważniejsze, nie wymagała od niej niczego. W ogóle nie brała pod uwagę, że mogłaby tak jak matka zakleszczyć się na kimś, uwiesić, zamiast żyć.

– Zniszcz, zniszcz wszystkie papiery, niech nic nie zostanie – prosiła matka nerwowo, kiedy siedziała przy jej łóżku w szpitalu. – Obiecaj mi, przepraszam, myślałam, że tak będzie lepiej dla ciebie...

O jakie papiery chodziło, nie zdążyła spytać. Matka zmarła następnego dnia, tuż przed jej przyjściem. Zapalenie płuc okazało się zabójcze dla jej wycieńczonego organizmu.

Natalia przejrzała papiery w dawnym biurku ojca. Akt własności domu, jej świadectwa od szkoły podstawowej do

matury, akt ślubu rodziców, nieistotny dowód tego, że nie
jest bękartem, zaświadczenie o stanie zdrowia po przebytej
przez matkę w młodości gruźlicy, nic, co domagałoby się
zniszczenia.

Poza przejrzeniem papierów nie zrobiła nic. Rzeczy matki dalej wisiały w szafie, czekając na uporządkowanie.

NOWY WSPANIAŁY PRODUKT.
Nowy – zużyte słowo. Teraz wszystko jest nowością. Może
odwołać się do tradycji? Nie do tego, co nowe, ale co stare, do
bre, sprawdzone?

Używaj? Nie, ludzie nie chcą już używać, sprawdzać, są
zmęczeni natłokiem nowych rzeczy – jeszcze doskonalszych,
jeszcze lepszych, jeszcze bardziej okazyjnych.

Pusty ekran komputera z paskami narzędzi już nie zmuszał do pracy. Może powinna wykorzystać te trzy wolne sa-
motne dni na uprzątnięcie tego wszystkiego?

**UPRZĄTNIJ KOŁO SIEBIE. ZOBACZ, CO JEST WAŻNE. TO TWÓJ
WYBÓR.**

ZNAJDŹ WŁAŚCIWE ROZWIĄZANIE.
Nie. Beznadziejne.

Trzeba się odwoływać do tego, co jest najbliższe ludziom.
Skąd ma wiedzieć, co jest najbliższe? A co dla niej jest ważne?

Podniosła się i stanęła przy oknie. Świat był biały – jakby
nie istniał. Wymarzone święta dla szczęśliwych dzieci. Dla
dzieci, które oczekują prezentów, które sprawdzają, czy mokre buty ojca stoją w przedpokoju. Dla ludzi oczekujących.

Cofnęła się, kiedy na podwórko wyszedł Łukasz, syn sąsiadów. Wrócił z Francji sam, a wiedziała od matki, że tam
się ożenił.

No cóż, mężczyźni odchodzą. Nie chciała, żeby ją zauważył. Nie chciała kontaktów z takimi ludźmi. Oboje byli samotni, to prawda, ale jej życie było uczciwe. Nikogo nie zraniła, nie odeszła od matki z dzieckiem, jak to na pewno zrobił Łukasz. Pamiętała go jako młodego chłopca – nie chciał się z nią bawić, była młodsza, a kiedy ma się jedenaście lat, nie poszukuje się towarzystwa pięcioletniej dziewczynki; to rozumiała doskonale – teraz. Wtedy była zawiedziona, że siedział przy stole sztywno z rodzicami, kiedy ona klęczała pod choinką i wyłuskiwała spośród gałązek orzechy owinięte w srebrną folię.

Przemknęło jej przez głowę, że nie musiałaby spędzać tej Wigilii sama, właściwie nawet byłoby to naturalne, gdyby po prostu machnęła do niego ręką. Będziesz sam? Może wpadniesz na rybę? Ale natychmiast skarciła się za taki pomysł.

Łukasz był samotny na swoje własne życzenie, a ona nie była skłonna do opieki i miała siebie. Zresztą – co jej przychodzi do głowy?

Wpadł do niej krótko po śmierci matki.

– Jeśli mogę ci w czymś pomóc...

– Dziękuję – powiedziała oschle.

W czym miałby jej pomóc ten obcy mężczyzna? To co, że znali się jakoś? Dotrzymała słowa danego matce. Patrzyła przez tyle lat na jej smutne życie i rosła w niej złość do mężczyzn. Ona nigdy nie dałaby się tak upokorzyć. Nigdy.

Czego chce? Gdyby miała samą siebie namówić na ten Cudowny Produkt? O czym musiałaby mówić reklama?

O przemijaniu, o tęsknocie za czułością, za czymś, co było, a co nie wróci. Za nadzieją, że wróci. Że będzie tak jak kiedyś – kiedy „kiedyś" było miękkie, ciepłe, dobre i pewne.

Miękko, ciepło. Pewność.

Pewności nie ma. Gdybyż mogła dać ludziom pewność... zostałaby swoim własnym szefem. Ba, kimś znacznie więcej... Bezpieczeństwo. Odkrycie.

ODKRYJ SAMĄ SIEBIE.

Czyli potwory i demony. Złość i żal. To głupie, każdy podejrzewa, że w środku hoduje bestię, która raz wypuszczona na wolność zawładnie nie tylko światem, ale i właścicielem.

ODKRYJ SWOJĄ BESTIĘ.

OSWÓJ SWOJĄ BESTIĘ.

OSWÓJ SWOJĄ PRZYSZŁOŚĆ.

Szukaj.

A może nie reklamować produktu, tylko zaciekawić – co to jest? Co mi to da? Co będzie, jeśli się dowiem?

KIM JEST JÓZEF K.?

Było.

A śnieg pada i pada. Takie trzy dni w domu ją wykończą.

NIE BĄDŹ IDIOTĄ!

Reklama na „nie" się nie sprawdza. Podświadomość nie zna słowa „nie". Odrzuca je, jak niegrzeczne dziecko. Nie rozumie słowa „nie". Na pewno napis powinien być pomarańczowy. Pomarańczowy kolor wpływa na łaknienie. Jeszcze nie wiemy dlaczego, ale sięgamy. Dzieciom niejadkom powinno się podawać jedzenie na pomarańczowych talerzach. Pomarańczowe krótkie hasło.

PRZYPOMNIJ SOBIE!

Bez nakazu. Człowiek nie lubi, żeby mu rozkazywano.

Kiedy była dzieckiem... Ale już nie jest.

PRZYPOMINAM SOBIE...

Dobre. Co sobie przypominam? Pamiętam... tak może być... to zależy ode mnie. Jesteś kowalem swojego losu – tylko inaczej. Skojarz kowala, szybciej, pierwsze skojarzenie – podkowa. Dobrze. Podkowa – szczęście, szczęście, ciepło, dom, miłość.

NIE BÓJ SIĘ.

Bez „nie". A więc:

ZARYZYKUJ. CHCESZ. ZOBACZ, CZEGO NAPRAWDĘ CHCESZ. ZRÓB COŚ DLA SIEBIE.

Nieee. Beznadziejne.

Wstała od komputera, zapaliła światło. Śnieg sypał teraz tak gęsto, że w pokoju zrobiło się szaro mimo wczesnej pory. Otworzyła szafę matki i zgarnęła rzeczy razem z wieszakami.

Opróżnij swój umysł. Zobacz, co naprawdę ważne.

Jeśli zajmie się teraz porządkiem...

CUDA SIĘ ZDARZAJĄ.

CZY CZEKASZ NA SWÓJ CUD?

Tak, to jest dobry kierunek. Każdy ma swój cud, na który czeka. I żadnej fotografii, żadnych skojarzeń, tylko z boku, małymi literami, nazwa produktu.

Pomarańczowa.

I może krócej.

CZEKASZ NA SWÓJ CUD? DAJ SOBIE SZANSĘ.

Sztampa.

WYBIERZ, SIĘGNIJ, ZARYZYKUJ.

CZEKASZ NA SWÓJ CUD? ZARYZYKUJ.

Wyjęła z szuflady w kuchni czarne studwudziestolitrowe worki na śmieci. Wszystko, co należało do matki, jej ubrania, nienoszone od lat, zapakować, wywieźć do kościoła, tam zbierają takie rzeczy, tam zgłaszają się biedni.

Musiał ruszyć dalej, choć odczuwał teraz silne pieczenie w lewej nodze. Stara rana otworzyła się i bolało, tak bardzo bolało. Ale przecież jest silny i wcale nie stary. Da sobie radę. Nie widzi dla siebie miejsca w świecie silnych, wspaniałych i przedsiębiorczych ludzi. Spieszących się ludzi. Każdy z nich dzisiaj wieczorem na białym obrusie ułoży dodatkowe nakrycie. I każdy będzie miał nadzieję, że nikt nie przyjdzie, że nikt nie powoła się na cud bożonarodzeniowy, że nikt nie zapuka do drzwi i nie przypomni słów Biblii – głodnego nakarmić – oto jestem.

Bo on tego na pewno nie zrobi.

Śnieg sypał gęsto, a przed nim droga do miasta. Może tam zdarzy się cud.

Przecież są święta.

*

Siedziała na podłodze i patrzyła na pożółkłe kartki.

Najdroższa moja córeczko,
wiem, że nie chcesz mi wybaczyć, ale kocham cię i tęsknię. Proszę, napisz choć parę słów.

Kochana Natalko,
mama pisze, że jesteś obrażona, wiem, co czujesz, ale kocham cię i zawsze będę cię kochał.

Kochana córciu,
myślałem, że będziemy mogli się zobaczyć, ale skoro wyjechałaś akurat z ciocią Jaśminą... pozdrów ją ode mnie.

Droga Natalko,
przykro mi, że choć minęło tyle lat, nie możesz mi wybaczyć.

Natalio, z okazji Twoich osiemnastych urodzin życzę Ci, żebyś umiała mądrze wybierać...

WYBIERZ MĄDRZE.

To takie wezwanie dla głupców. Tym razem wybierz mądrze, skoro dotychczas twój ciasny umysł nie umiał podjąć tej decyzji.

To listy do niej. Kochana córeczko... Najdroższy skarbie, Natalko. Ile lat tu leżą?

Poczuła nudności. Podniosła się i pobiegła do łazienki. Łapczywie obmywała twarz. A potem ogarnęła ją tak silna fala nienawiści, że musiała się mocno chwycić wieszaka na szlafroki, żeby nie upaść. A potem, skulona tuż koło muszli klozetowej, zaczęła płakać. Płakać z dna swojej biednej dzielnej, niezależnej, sponiewieranej duszy. Złość na matkę wypływała ze łzami jak skisła woda po ogórkach, które odcedzała pod koniec sierpnia.

Nudności wróciły obrzydliwą falą. Nachylona nad sedesem wymiotowała. Wtedy jej ulżyło, ale łzy powróciły, czyste łzy żałości i nieutulenia. Płakała, aż zabrakło łez.

Obmyła twarz i jak przez mgłę usłyszała: „Przepraszam, myślałam, że tak będzie lepiej".

Biedna, biedna mama. Zrobiła to w trosce o nią. Żeby nie cierpiała. Nie pamiętała, nie dała się zranić powtórnie. Za żalem sunęły wspomnienia. Oto Krzysztof, jego ciało, jego ręce, jego brzuch. Jego uśmiech, jego usta. Motyli dotyk ręki między jej udami. Gęsia skórka, którą na samo wspomnienie pokrywało się jej ciało. To przecież było przyjemne, to nie było złe.

Nie potrafisz kochać.

Nie chce spędzić Wigilii w domu, w którym nie będzie świąt. Nie chce, udaje tylko, że chce. Trzeba spakować rzeczy i wywieźć. Wyszorować podłogę w pokoju i przynieść z dworu drzewo. Napalić w kominku. Zachowywać się tak, jakby to był ten właśnie cud. Jakby była dzieckiem. I choinka, duża, a stojak jest pewno w szopce, nieużywany od lat. Miały ostatnio małą sztuczną choinkę, ładną, do której nawet kupiła świerkowy zapach. Ale nie musi już udawać. Może być sobą. Nie musi udawać przed matką. Będzie miała święta i będzie miała pięć lat. I cukierki, długie, i pachnące ciasto. Nikt jej na tym nie przyłapie i nie zgani. Zrobi sobie święta. ZRÓB SOBIE ŚWIĘTA.

Zachichotała nerwowo i zapaliła światła w całym domu. Dopiero wpół do dziesiątej. A potem, jak już posprząta, pojedzie do miasta i kupi cholernie dużą choinkę, i prezent sobie kupi, i położy pod tą choinką, a potem zrobi ślady na podłodze, czystej, wyszorowanej, mokre ślady, i uchyli drzwi na dwór, znak, że Mikołaj już przyszedł.

I pojedzie po zakupy – kupi sernik i jajka, albo upiecze, sama upiecze, i będzie jadła i jadła, i odpisze na list tatusiowi, i zrobi sobie święta.

Przez łzy i śmiech szorowała pokój kominkowy. Wybrała z paleniska gwoździe – w zeszłym roku spaliła parę desek, musiały być w nich jakieś gwoździe – przysunęła zielony fotel do kominka. Nie pamiętała, żeby go kiedykolwiek używały, a mimo to zielony materiał był przetarty. Narzuci na niego paczwork ze swojej sypialni, to będzie nowy pokój, jej pokój, jej choinka, jej cud mały.

Zalśniły blaskiem szyby. Przecierała je Najlepszym Płynem do Szyb. Zdjęła firanki i wrzuciła do wanny. Zalała ciepłą wodą z proszkiem. Woda zrobiła się szara. Płukała je długo, a potem mokre powiesiła i ułożyła na podłodze pod nimi zużyte ręczniki.

Otuliła się w kurtkę i wyszła na podwórko. Musiała odgarnąć śnieg, żeby dostać się do szopy, ale miała rację – stojak z metalowymi łapami lwa czekał na nią po prawej stronie.

Czuła, że policzki jej płoną.

Trzasnęła drzwiami do szopy, rzuciła stojak w przedpokoju i wskoczyła w buty, zamknęła za sobą drzwi i odśnieżyła samochód. Szczęśliwie silnik odpalił za pierwszym razem. Ruszyła wolno w stronę miasta.

*

A jednak nie daje rady. Nie wziął pod uwagę tego, że przy takim mrozie idzie się inaczej. Noga coraz bardziej bolała, a w uszach słyszał: „Spierdalaj stąd!".

Wiedział, że nie wygląda dobrze, ale jakie znaczenie ma wygląd? Kobieta, którą kochał, nie była piękna. Ale pamięta jej zapach, mógłby marzyć godzinami o zapachu jej ust i dłoni, jej włosów, o tym, jak pachniała rankiem, a jak wieczorem, jak pachniała po miłości, a jak wtedy, kiedy czekała na miłość. Mógłby godzinami opisywać jej dotyk, szorstki i przyjacielski, ciekawy, niedbały, czuły. Dotyk oczekiwany godzinami, zmieniający czas i przestrzeń. A smak? Mógłby smak jej łez rozłożyć na maleńkie cząsteczki, a i tak każda z nich zapełniłaby jego wszechświat. A jej dłonie? Dłonie o delikatnych długich palcach, dłonie znużone, dłonie kochające, dłonie podające jedzenie, dłonie żywicielki, dłonie czułości nie do zaspokojenia, dłonie delikatne jak wnętrze ucha, dłonie skupione, dłonie przygarniające, obejmujące, dłonie podnoszące głowę. I oczy. Jakie ona miała oczy! Czasem śmiała się do niego – szczególnie wtedy, kiedy nie mógł nasycić się jej bliskością. Cieszyła się z jego miłości, a on delikatnie językiem dotykał jej twarzy, kiedy spała. Czuł każde drgnienie powietrza. Wdech i wydech, wdech i wydech... Kiedy ruszała się, udawał, że śpi, ale kiedyś przyłapała go na tym dotyku wilgotnym i zamiast się zezłościć, objęła go mocno i przytuliła do siebie. Potem płakała długo, a on nie wiedział dlaczego, ale pozwalał jej na płacz tak samo chętnie jak na radość. To było ważne, żeby czuła się przy nim bezpiecznie, wiedział, że to jest najważniejsze.

Nie odnajdzie jej.

Wyjechała nagle, bez uprzedzenia. A on tego nie przeczuł, mimo że tyle innych rzeczy przeczuwał. Wyjechała nagle i zostawiła go jak nikomu niepotrzebną zabawkę. Nie wiedział, że kobiety są do tego zdolne. Były przecież takie kruche, takie delikatne. A kobieta, którą kochał, na pewno potrzebowała jego opieki.

Pewno dlatego ruszył w tę podróż. Ale przeliczył się. Żeby przeżyć, trzeba przynajmniej mieć co jeść. A on się przeliczył. Miał tylko siebie.

I nikogo, kto by go objął i powiedział: Nie martw się, poradzisz sobie, jestem z tobą.

Ponieważ był sam. Ludzie nie lubią samotników. Zawsze boją się najbardziej tego, co doskwiera im samym. Nie będzie zabiegał, prosił, żebrał. Przejdzie tylko przez to nieprzyjazne miasto i siądzie gdzieś, gdzie będzie mógł odpocząć. Białe tylko z pozoru jest zimne. Przecież zwierzęta śpią pod śniegiem, na przykład niedźwiedzie. Śnieg musi być ciepły i przyjazny – jeśli spojrzeć na to z właściwej strony.

*

Wrzucała pospiesznie zakupy do koszyka. Jaja, masło, ser, ryby; co z tego, że tak dużo? Zamrozi. Przecież są święta. Świece.

TYLKO NASZE ŚWIECE PALĄ SIĘ DWADZIEŚCIA CZTERY GODZINY!

Dobre wino, Chablis, do ryby, nie to tanie, to najdroższe. Może sobie wyobrazi, że jest z nią Krzysztof, któremu powie: Nie boję się.

Albo mama.

Nie boję się, mamo.

I choinka będzie wysoka do sufitu. Związana jak baleron i przymocowana do bagażnika na dachu czekała na nią na parkingu. Do pierwszej gwiazdki jeszcze nie tak blisko, zdąży.

*

Ten samochód też się nie zatrzymał. A przecież kierowca na pewno widział, w jakim wędrowiec jest stanie. Nie ma już siły. Jeszcze tylko parę domów, wyjść wreszcie z tych zabudowań, gdzie nikt na nikogo nie czeka, znaleźć się w miejscu, gdzie już nie ma nikogo, jest tylko cisza, cisza i spokój, i tam odpocząć. Przypomnieć sobie dobre chwile z przeszłości. Miękkość i czułość, dobro i miłość. Przecież dzisiaj jest dzień pojednania. Pojedna się ze swoim rozczarowaniem. Najgorsze są pierwsze momenty, kiedy zimno przechodzi przez każdą komórkę. A potem już robi się ciepło. Ciepło i dobrze. Dobrze i obojętnie. Chodzi o to, żeby nareszcie było obojętnie. Żeby brzuch nie pamiętał sytości ani głodu, a ciało braku dotyku. Chodzi o to, żeby wszystko rozpłynęło się i znikło, bez specjalnego cierpienia, bez nadziei, że może jeszcze ktoś się pojawi.

Jeszcze tylko paręset metrów. Zapada zmierzch. Teraz już nikt go nigdy nie odnajdzie, a i on przestanie szukać.

*

Zdążyć przed pierwszą gwiazdką!

Ryba na patelni, a ciasto w piekarniku. Choinka nie wchodzi w stojak – za długo stał w szopie. Nie może rozkręcić bolców, które przechodzą przez obręcz i trzymają pień. Nie może osadzić choinki, ale to nie przeszkadza wyjąć bombek i ozdóbek, światełek i aniołków, łańcuchów. Choinkę oprze o ścianę; owszem, może śmiesznie to wygląda, ale oprze ją między kominkiem a ścianą, nie przewróci się, a trzeba zdążyć przed pierwszą gwiazdką.

O, to jest dobre. Nawet bardzo dobre:

ZDĄŻYĆ PRZED PIERWSZĄ GWIAZDKĄ.

Pokój wygląda lepiej niż wtedy, dwadzieścia dziewięć lat temu. Paczwork na fotelu ojca zrobił z tego mebla prawdziwe wygodne i śliczne miejsce. Miejsce nie dla mężczyzny, tylko dla niej, dla jej zmęczonego wiecznym porzuceniem ciała, dla jej umęczonego poszukiwaniem rozwiązań umysłu, dla jej nóg, zgrabnych jeszcze, a niedotykanych, dla jej przestraszonej duszy to jest miejsce świąteczne. A potem będzie czekać na prezent od wszechświata, na cud jej własny, który nastąpi. Albo nie.

Poszła do łazienki i odkręciła kurki.

PIANA – NAJLEPSZA TWOJA PIANA DO KĄPIELI I OLEJEK, KTÓRY ODMŁODZI TWOJĄ SKÓRĘ.

Nowość! Przygotowała okazyjny szampon i odżywkę.

OKAZJA! DWA W JEDNYM!

Przeszła do kuchni i wygasiła piekarnik. Sernik zarumienił się. Uchyliła drzwi do pokoju i kiedy spojrzała na stół nakryty na dwie osoby, świecznik i dwie świece przygotowane do zapalenia, rozświetloną łagodnym blaskiem choinkę, zrozumiała, że cud nastąpił.

I jeśli pojawi się ktoś, zaprosi go do domu – obiecała to sobie solennie w pierwszą Wigilię bez ojca, wtedy kiedy matka odniosła dodatkowe nakrycie do kuchni, i ta obietnica powróciła do niej po raz pierwszy od tamtej pory. I po raz pierwszy od lat było na stole nakrycie dla Nikogo – zgodnie z tradycją.

*

Nie dojdzie do lasu. Noga rwie tępym bólem, a oddech zamarza w powietrzu. To nieprawda, że się łatwo rozstać z iluzją. Nie było ciepło, i tak strasznie chciał wejść do któregoś z tych domów – stanąć na progu, tak to sobie wyobrażał, stanie na progu, a ktoś otworzy drzwi i bez słowa wpuści go do środka, nie pytając o nic, nie bojąc się obcego. Ale teraz wszyscy się bali wszystkich, a przecież on miał tyle do dania! Co z tego, skoro wziąć nie było komu?

Siądzie tu, przy tym domu, nie na ulicy, żeby nie wzbudzać strachu, może jest jakieś wejście do ogrodu, może jakaś uchylona szopa... Siądzie tylko na chwilę, żeby tak nie przewiewało na wskroś, tylko na chwilę, może zaśnie, a dobry Bóg obudzi go tuż przed północą i zapyta łagodnie: Jakiego chcesz cudu dla siebie?

I wtedy odpowie.

*

Wysuszyła włosy i włożyła wełnianą sukienkę. Wsunęła na stopy czółenka – nigdy w domu nie chodziła w butach. Buty lekkie, czarne, eleganckie. I tak je zrzuci zaraz, kiedy po kolacji wigilijnej siądzie przed kominkiem, a pomarańczowe ciepło podpełznie do fotela. Poczeka na północ, na narodziny cudu, i powie cicho: Wybaczam.

Może jeszcze powie trzy zdania do każdego z nich, zdania zaczynające się od słów: proszę, dziękuję, przepraszam.

Dziękuję za to, że mnie urodziliście. Dziękuję za to, że mam co wspominać. Dziękuję za te wszystkie Wigilie, kiedy renifery latały nad naszym domem.

Przepraszam, że dałam się nabrać na żal i na złość, że nie umiałam zrozumieć ani ciebie, mamo, ani ciebie, tato.

Proszę, żebym mogła jeszcze kiedyś komuś dać to, czego jestem pełna: tkliwość, dobro, ciepło, zrozumienie, miłość.

Tak powie.

Tylko że zanim siądzie do samotnej wigilijnej kolacji, musi jeszcze raz wyjść na dwór, bo zapomniała o drzewie do kominka, mimo sukienki i butów, czarnych czółenek, trzeba wyjść i przynieść naręcze drewna, żeby potem nie wychodzić z domu.

*

Kiedy się ocknął, leżał na fotelu przed kominkiem. Owinięty w koc w kwadraty czerwono-zielone, ciepły, miękki i puszysty wełniany koc. Koło niego klęczała kobieta. Głaskała go delikatnie, a on jak przez mgłę przypominał sobie jej głos, głos ciepły i gardłowy, głos, w którym drżało wzruszenie, ale też głos pełen odwagi, kiedy powiedziała:

– Chodź, chodź proszę.

I ciepłą wodę, i dotyk jej rąk. Nie wstydziła się go dotykać wszędzie, zmywała wielodniowy brud, dotyk jej rąk był delikatny i wzruszający, a potem pomogła mu wyjść z wanny i usadowiła na tym miękkim fotelu. Teraz klęczała przy nim, jej twarz tuż koło niego, chciał wydobyć z siebie głos, ale nie mógł, a ona to rozumiała, bo pogłaskała go po głowie i powiedziała:

– Teraz zaśnij. Śpij. Nie bój się. Jestem przy tobie.

Zmrużył zmęczone oczy, a ogień na kominku trzaskał smakowicie. Na dzwonek do drzwi nie podniósł głowy. Słyszał jej kroki, a potem męski głos:

– Czy wszystko w porządku?

I jej głos, głos Kobiety, którą odnalazł, chociaż wydawało mu się to niemożliwe, głos, któremu zaufa, choć już raz został zraniony, zaufa, kiedy tylko poczuje się lepiej, i Kobieta zrozumie, że go kocha tak bardzo, jak on zaczynał ją kochać.

– Tak. – Kobieta zawahała się i po chwili milczenia spytała: – Łukasz... może chcesz wejść?

I podwójne kroki.

– Widzę, że czekasz na kogoś... – Wahanie w głosie mężczyzny było tak wyraźne, że gdyby mógł zza oparcia fotela roześmiać się... Ale nie mógł. Nie miał siły nawet na głębszy oddech.

– Tradycja... Jedno nakrycie dla mnie, a drugie...

I znowu chwila milczenia.

– Choinka się przewróci! Nie masz stojaka?

– Mam, w przedpokoju, ale... zardzewiał. Nie mogłam sobie dać rady...

– Zaraz osadzę! – Radość w głosie mężczyzny, a potem chwila przerwy. – Jeśli chcesz, oczywiście, Natalia, nie chciałbym się narzucać...

Natalia. Pogodne imię, imię dla rośliny, nie dla żywej kobiety, ładne imię. Natalia, Talia. Muza. Muzyka.

– Tak, jeśli możesz...

– Przecież mogłaś mi powiedzieć wcześniej, widziałaś, że jestem w domu...

Mężczyzna przeszedł przez pokój i zatrzymał się przed choinką. Teraz się odwróci i zobaczy mnie. Będzie zdziwiony?

Ręce. Musi się nauczyć tych rąk na pamięć, do końca życia, ciekawe, w którym momencie mężczyzna będzie zazdrosny. Widzisz, jak delikatnie mnie dotyka, jak będzie o mnie dbać, jak przytula swoją twarz do mojej głowy, jak już nie uważa, jak się nie boi, jak zaufała? Widzisz? Nie jest ci żal, że nie jesteś na moim miejscu? Ona jest moja i ja jestem jej, już na zawsze, znalazłem dom.

– Skaleczony?

– Ma ranę na nodze...

– Pokaż, zobaczę...

– Tylko uważaj, boli go... polałam wodą utlenioną...

– Wykąpałaś go... Widać, że... po przejściach...

Kobieta spojrzała prosto w oczy Łukasza.

– Jak my wszyscy.

A potem schyliła się, położyła znów dłoń na czarnym łbie, a pies zmrużył oczy, westchnął i spokojnie zasnął.

Wahanie wokół zera

– Dobrze, kochanie... – Anna odłożyła jabłko na biurko, obok klawiatury. – Może dzisiaj... Wiesz, jak jest... Ale strasznie dawno cię nie widziałam... – Uśmiechnęła się do słuchawki telefonu. – Dwa dni to niedawno? Dla mnie dawno... Zrobię makaron z pesto, taki jak lubisz... Jeśli dostanę świeżą bazylię.

Drzwi się uchyliły i ładna brunetka o zmęczonej twarzy biodrem otworzyła je na oścież. Obiema rękami przytrzymywała czajnik elektryczny pełen wody; sznur smętnie pełzł za nią po podłodze.

– Cholerny czajnik... – powiedziała, podchodząc do Anny. – Dolać ci?

– Nie, dziękuję... – Anna zakryła dłonią słuchawkę. – To nie do ciebie – powiedziała do telefonu. – Do koleżanki... – I po pauzie z pretensją w głosie dodała: – Pewnie że miłej.

Brunetka nalała do grubego kubka wrzątku, cicho syknęła, kiedy kłąb pary otulił jej rękę i luźna pokrywka za wszelką cenę chciała również wskoczyć do kubka, a potem spojrzała na Annę i przytuliła rękę do serca, tak jak przytula się małego kociaka. Wykrzywiła twarz w okropnym grymasie, podnosząc brwi w zdziwieniu. Anna ponownie zakryła dłonią słuchawką i kiwnęła potakująco głową. Brunetka przytuliła dłoń do ust, tak dobrze udając namiętny pocałunek, że Anna parsknęła śmiechem.

– Natychmiast przestań... Nie, to nie do ciebie, koleżanka się wygłupia. – Odwróciła się na brzegu krzesła do okna, pozostawiając przyjaciółkę w gibkim pochyleniu nad własną dłonią. – Dobrze... Będę czekać z pesto... Kup wino... Nie, wolę białe. Jakieś kalifornijskie... Lepsze niż bułgarskie. No, to do zobaczenia.

Odłożyła słuchawkę i oskarżycielsko wyciągnęła palec w kierunku czarnowłosej.

– Zazdrośnica z ciebie, Beata!

Beata przeczesała drobnymi palcami włosy na bok i zaczęła błaznować:

– Kochanie, takie jak lubisz pestko, ale wino kalifornijskie, nie lubię bułgarskiego, nie lubię! Więc, kochanie, kocham cię, kochanie moje! – Gwałtownie pokręciła głową i prosto z „kochania mojego" zajrzała do czajnika. – Popatrz, co tu się dzieje.

Białawoszary nalot zakrywał szczelnie dno i otulał grzałkę.

– Po kamieniu poznać, ile ma lat. Psiakrew, że też nie mogą nam nawet kupić nowego czajnika. Taka firma!

– Jak będę szefem, kupię nowe czajniki. Zmiany zaczyna się od najprostszych rzeczy, naprawdę. Obiecuję.

Beata kiwnęła głową.

– Trzymam za słowo.

– A przy okazji: pesto. Pesto, nie pestko. I już dzwoniłam, żeby nam naprawili kontakt. Wiesz, ten pan Franio...

– Jaki Franio?

Beata postawiła czajnik na oknie, na jego zwykłym miejscu. Za oknem było sino od deszczu.

– Ten z pionu technicznego. Powiedział, że przecież mamy prąd, bo komputery chodzą. To ja się pytam: mam wyłączyć komputer, żeby napić się herbaty? Widziałaś coś podobnego?

Beata odwróciła się od okna.

– Co to jest pesto?

Anka usiadła przed ekranem komputera, rozłożyła jakieś kartki i nie patrząc na Beatę, spytała z roztargnieniem:

– Słuchaj, gdzie są pliki z ostatnich dwóch lat? Pesto? To taka pasta...

Beata sięgnęła po kubek z herbatą.

– Chyba już skasowane. Tak długo nie trzymamy... Jak się takie pesto robi?

– Bierzesz ze dwa pęczki bazylii, teraz to jest droga, więc biorę jeden... trzesz żółty ser, powinien być parmezan, ale jak zetrzesz jakiś inny ostry, to praktycznie nie ma różnicy, parę ząbków czosnku, mieszasz... – Anka podniosła głowę, stukot klawiatury ucichł. – Słuchaj, tu coś jest nie w porządku... Nie wiesz, kto może mieć dostęp do tych plików z zeszłego roku?

Beata stanęła z kubkiem w ręku za plecami Anki, pochyliła się nad nią.

– Muszą być. – Kliknęła w klawiaturę wolną ręką. Obraz się zmienia, ale Beata krzywi się. – Muszą być, ale ich nie ma. Może w dziale obsługi rachunków... Chyba tam powinni je trzymać przez pięć lat. Ale nikt ci tego nie da. No i co z tym pesto?

Anka odchyliła się na krześle, jej głos nabrał ciepła.

– Ciachasz bazylię, wyciskasz czosnek, dodajesz ser, tylko

musi być starty na tej najmniejszej tareczce, wiesz, taki proszek ma ci iść spod palców. I ten czosnek, i parę kropli oliwy, i miksujesz to wszystko razem. Wychodzi ci taka świetna zielona pasta, gotujesz makaron, dodajesz i masz fajne danie. Ani roboty, ani bałaganu w kuchni.

Beata upiła łyk, popatrzyła w okno; po szybach spływały strużki wody.

– Muszę spróbować. – Westchnęła.

Anka odsunęła klawiaturę, przeniosła papiery na prawą stronę biurka i spytała:

– Czeka ktoś na mnie?

– Ta pani, wiesz... Herman – odpowiedziała Beata i wzniosła oczy do nieba.

Pani Herman przychodziła raz na jakiś czas i była dobrze znana w całym biurze. Anka podniosła się, usunęła swoją szklankę, kubek Beaty przestawiła na okno, przyciągnęła drugie krzesło do swojego biurka.

– Czemu mi nie powiedziałaś? Idę po nią.

Beata wzruszyła ramionami.

– Wisi na drzwiach, że od dwunastej do dwunastej trzydzieści przerwa śniadaniowa.

Pani Herman pojawiła się w drzwiach tak, jak pojawiała się wszędzie indziej na świecie: żeby nie zabierać miejsca. Jej kroki były drobniejsze niż kroki dziecka, cała skurczona postać krzyczała: wybaczcie mi, że żyję! Stara jesionka i brązowe buty były jeszcze mokre od deszczu. Zrobiła krok, przestąpiła próg i zatrzymała się, patrząc niepewnie.

– Proszę bardzo, nie wiedziałam, że pani czeka... – Anka zrobiła ruch, jakby chciała zdjąć z niej płaszcz; pani Herman skurczyła się jeszcze bardziej.

– Proszę, niech pani spocznie – Anka wskazała krzesło.

Beata podniosła wzrok znad papierów i mruknęła pod nosem:

– Jest za pięć wpół do pierwszej.

Pani Herman cofnęła się.

– To ja... bardzo proszę, dziękuję, zaczekam... Niech pani...

Ale Anka już zamknęła drzwi i lekko popchnęła kobietę w stronę krzesła, zła na Beatę. Tak się nie postępuje z ludźmi, szczególnie w instytucji, gdzie wszyscy mają nieść pomoc ludziom.

Starsza pani delikatnie najpierw położyła dłoń na krześle, jakby sprawdzając materiał, z którego jest zrobione, a potem wsunęła się na nie powoli; przycupnięta, patrzyła na Annę jak chore zwierzę.

Anna uśmiechnęła się. Pokrzepiająco. Oswajająco. Klient ma zawsze rację.

– Napije się pani herbaty? Zimno dzisiaj. Taka pogoda...

– Nie... nie chcę robić pani kłopotu... dziękuję...

– Żaden kłopot. W taki ziąb dobrze pani zrobi coś gorącego.

Anka ruszyła w stronę czajnika, ale ręka Beaty była bliżej – podniosła czajnik, sprawdza kołyszącym ruchem, czy jest jeszcze woda. Czajnik był lekki, Beata podniosła się razem z nim i wyszła na korytarz. Koło łazienki jest gniazdko, tam włączy. Anka wiedziała, że trzeba czekać, aż woda się zagotuje, czajnik już dawno nie wyłącza się sam, więc doceniła gest koleżanki, uśmiechnęła się, a potem nachyliła do pani Herman.

– Zaraz będzie gorąca woda. No to co? Ma pani te papiery?

– Mam, tak, mam... ale chyba to wszystko już nie ma sensu...

Kobieta wyciągnęła z plastikowej torby szare, chropawe papierowe teczki, wiązane na niegdyś białą tasiemkę. Takie teczki miał ojciec Anny, dużo takich teczek, na jednej był napis „papiery domowe" – tam chował rachunki, dopóki żył.

Po jego śmierci Anka przejrzała tę teczkę, pamięta, jak przez łzy, które nagle nadbiegły do oczu, ujrzała kartkę, pożółkłą kartkę z niezdarnym dziecięcym napisem: Kochany tatusiu, tu jest dobrze, dużo pływam i mam durze łużko piętrowe, twoja córka Ania... Gaz, światło, czynsz, kartka od córki, jej pierwsze świadectwo szkolne...

Wyrzuciła te teczki, razem z rachunkami sprzed lat, po jego śmierci. Przełożyła do pudełka – plastikowa IKEA – jego legitymację studencką, akt zgonu, swoje rysunki sprzed dwudziestu lat i ten zachowany list. Z jakiegoś obozu? Kolonii?

Teraz leżała przed nią na brzegu biurka teczka, tak samo przycupnięta jak pani Herman na krześle. Anka przysunęła do siebie teczkę, brunatny papier jest szorstki, znajomy w dotyku, rozsupłała pożółkłą ze starości tasiemkę. Przejrzała uważnie papiery, przekładając je z jednej strony na drugą. Przy kolejnym zatrzymała się, przestudiowała go uważniej i podniosła wzrok na starszą panią.

– O, o to mi chodziło.

Anna wklepała w komputer numer z prawego górnego rogu, na ekranie pojawił się napis: BRAK DANYCH.

Anka zmarszczyła brwi, nacisnęła backspace i ponownie, już uważniej, wstukała cyferki: cztery, jeden, dwa, dziewięć...

Na ekranie czarne litery ułożyły się w napis BRAK DA-NYCH.

– Oooo... to dziwne... – Ankę ogarnął lekki niepokój. Nie powinna dzielić się tym niepokojem z petentem. – Coś nam nawala system – poprawiła się natychmiast. – Może mi to pani zostawić?

Beata wróciła z czajnikiem do pokoju, zamknęła drzwi, z szafki za drzwiami wybrała kubek, jeden z czterech, każdy jest inny, ten, który wzięła do ręki, jest niebieski, jedyna kolorowa rzecz w pokoju. Wrzuciła do kubka trochę liści herbaty i zalała je wrzątkiem, tym razem przytrzymując pokrywkę. Pokrywki od czajników elektrycznych na ogół nie otwierają się tak łatwo, ale ten ma chyba ze dwadzieścia lat i już od dawna czajnik i pokrywka nie stanowią jedności. Odseparowały się od siebie i tylko dzięki uporowi ludzi od czasu do czasu są razem.

Beata postawiła kubek przed panią Herman.

– Słodzi pani?

Starsza pani potrząsnęła przecząco głową i wzięła kubek między dłonie, jakby chciała go ogrzać.

Beata zajrzała przez ramię koleżanki na ekran. Anka nie dawała za wygraną, wklepywała rząd cyfr, za każdym razem ekran komputera powiadamiał ją o braku dostępnych danych. Beata wyrzuciła fusy ze swojego kubka, wsypała trochę herbaty.

– Trzeba kupić w torebkach. Nie wiem, czemu się upierasz przy liściastej.

Anka podniosła oczy, jakby dopiero teraz spostrzegła, że Beata już wróciła, i zrobiła zapraszający ruch głową. Beata odstawiła czajnik na parapet i obie patrzyły przez chwilę na ekran. Starsza pani zaniepokoiła się, wyciągnęła szyję jakby chciała coś podglądnąć. Anka stuknęła w ekran palcem:

– Zobacz, o, tu...

Krzesło zaskrzypiało, pani Herman cofnęła się, upiła łyczek herbaty, na dźwięk telefonu podskoczyła. Anka, nie odrywając wzroku od ekranu, podniosła słuchawkę do ucha.

– Halo? Wydział A, słucham. Ojej, to ty mamo? Przepraszam, jestem zajęta, oddzwonię za chwilę. Dobrze, na pewno przed drugą. Nie, poczekaj na mnie, zaraz oddzwonię. – Ściszyła głos. – Dlaczego do neurologa? Przecież dała ci skierowanie do chirurga... Zadzwonię za chwilę.

Odłożyła nieuważnie słuchawkę; słuchawka zsunęła się na bok, ale Anna cała była już komputerem. Beata wyciągnęła rękę i poprawiła słuchawkę,

– Widzisz? – Palec Anki jest miękki, krótkie paznokcie, zaokrąglony opuszek dziobnął w ekran. – Tutaj. Nie zgadzają się numery... a popatrz, jak wprowadzę, to jest informacja...

– „Akta przekazane do archiwum" – przeczytała zdziwiona Beata.

– No właśnie! Do archiwum. A przecież sprawa jest w toku!

Anna odsunęła krzesło. Linoleum w tym miejscu jest sczerniałe, ślady przysuwania i odsuwania krzesła przez lata odcisnęły na nim swoje piętno. Chwyciła dokument i powiedziała nerwowo:

– Albo niech pani tego nie zostawia... Zrobimy ksero, na wszelki wypadek, za moment wrócę...

Zniknęła za drzwiami, a na jej miejscu siadła Beata; myszka nie słuchała poleceń, wywoływała tylko napis BRAK DANYCH.

Pani Herman zebrała się na odwagę i odstawiła kubek na brzeg biurka. Kubek się zachwiał, pomarszczone dłonie stanowiły jednak lepsze zabezpieczenie, więc kobieta znów otuliła go dłońmi, położyła na podołku i grzała sobie ręce. A może to jej ręce grzały niebieskość kubka?

– No i co to znaczy, proszę pani? Ja już całkiem nadziei nie mam... Całkiem... To tyle lat... – powiedziała cichutko.

Beata oderwała wzrok od komputera i wyciągnęła rękę do Hermanowej w pokrzepiającym geście.

– To znaczy, że nareszcie jest pani w dobrych rękach.

– Taki ziąb... – Pani Herman spojrzała w okno, a jej ręce głaskały kubek z góry na dół. – Taki ziąb... A człowiek tak od Annasza do Kajfasza... Tyle lat... A przecież chłopak zginął... Przy pracy... Już mu nic życia nie wróci, ale żeby kto chociaż przyszedł, przeprosił... Przecież ubezpieczony był... To żeby chociaż było wiadomo, że wszystko jest jak należy, a nie, że pijany był... On przecież nie pił, a już w pracy to był najostatniejszy do wypitki. Nie można tego człowiekowi robić...

Anka była skupiona, kiedy weszła do pokoju sprężystym krokiem. W prawej ręce trzymała oryginały dokumentów Hermanowej, w lewej odbitki ksero. Podeszła do szafy, wyjęła plastikową przezroczystą koszulkę, porządnie włożyła do niej odbitki, na wierzchu dużymi literami napisała flamastrem: *41 HERMAN*.

Pani Herman wpakowała dokumenty do mocno zniszczonej torby. Ręce jej się trzęsły, oczy w siatce zmarszczek miały potulny wyraz, kiedy patrzyła na Annę.

– To niepotrzebne, dziękuję bardzo, bardzo dziękuję, pani taka dobra... I co teraz?

Anka się podniosła – starsza pani podniosła się również, jak za pociągnięciem sznurka, i z uśmiechem odprowadziła kobietę do drzwi.

– Niech pani będzie dobrej myśli... Zajmiemy się tym. Dobrze, że pani przechowała wszystkie dokumenty, jest się o co zaczepić... Proszę bardzo. Zadzwonię do pani. Ma pani jakiś telefon kontaktowy?

– Kontaktowy to nie wiem, ale w domu to mam. – Pani Herman wróciła do biurka, otwarła torbę, wyjęła z niej jakieś karteluszki, recepty, wreszcie wymacała ołówek. Anka podbiegła do niej.

– Tu zapiszę. – Wzięła do ręki nieskazitelną plastikową koszulkę i flamaster.

– Osiemdziesiąt trzy, chwileczkę, człowiek sam do siebie nie dzwoni... Ja prawie cały czas jestem w domu, będę czekała, niech panią Bóg błogosławi...

Skrzypnęły drzwi, które się wiecznie nie domykały, trzeba im było pomagać, mocno przyciskając jedną ręką, popchnąć w okolicy klamki. Anka pożegnała panią Herman, na korytarzu nie było nikogo, pewno ta pogoda, i wróciła do swojego biurka. Przykra sprawa – od wypadku syna pani Herman minęło szesnaście miesięcy, był ubezpieczony, ale ubezpieczenie nie mogło być wypłacone, jeśli „pracownik w czasie trwania pracy znajdował się pod wpływem alkoholu". I nie było odpowiedniego zabezpieczenia przy kotłach, zgodnego z przepisami. Przebąkiwali o tym. Ale gdy inspektor pojawił się na miejscu wypadku, zabezpieczenia już były, a ludzie milczeli.

W dwa tygodnie później inspektor wystąpił o cofnięcie polisy z powodu upojenia alkoholowego. A przecież nie zrobiono badań krwi, nikomu nie przyszło do głowy, że syn pani Herman mógł być pijany, dopóki nie okazało się, że suma ubezpieczenia jest znacznie wyższa, niż przypuszczano. I wtedy zaczęła się korespondencja: że może był pijany, że może to jego wina. Firma miała wypłacać ubezpieczenie, które syn pani Herman rok temu podwyższył, i beneficjentem miała być matka.

Pani Herman była biedną i nieszczęśliwą kobietą. Anka zdążyła ją poznać i polubić. Jaka szkoda, że tak mało od niej zależy. Wydział A był jednym z niższych wydziałów firmy. Anka zawsze chciała dostać się wyżej. Właśnie po to, żeby takie panie Herman nie musiały udeptywać wytartego linoleum najniższego korytarza. Można było ludziom pomagać, ale co ona mogła w tym cholernym dziale A?

– Widziałaś jej nogi?

Beata podniosła zdziwione oczy znad swoich papierów.

– Normalne chyba...

Normalne. Spuchnięte w kostkach, Anka zauważyła czarne krótkie sznurówki przy znoszonych brązowych półbutach. I obcisłe pończochy, grube, przeciwżylakowe, jakie można kupić na targach od przekupek. Matka takie nosiła, kiedy Anka była nastolatką. I ten, pożal się Boże, płaszcz...

Świat staje się lepszy, jeśli choć jednej osobie można pomóc. Dlatego Anka wybrała taką pracę i chce awansować. A tu gołym okiem widać, że komuś bardzo zależy, żeby tak wysokie ubezpieczenie nie wyszło z firmy. Zaraz, zaraz, już dawno żadnej sprawy z numerem na 41 nie załatwiały... W tym roku ani jednej, a w zeszłym? To były dodatkowe ubezpieczenia, wysokie, podwyższone. Czy to możliwe, żeby...

Anka podniosła się z krzesła, podeszła do szafki, otwarła górne drzwiczki i wyjęła zeszłoroczne zestawy. Beata patrzyła na nią zdziwiona, to wszystko przecież poszło do innych wydziałów, zostało tylko to, co załatwione tu, na dole, z adnotacją Anki: *Do wypłaty*.

Anka już wstukiwała w komputer rzędy cyfr. Może będzie mogła coś zrobić. Nie chce przecież spędzić całego życia za tym biurkiem, bez kompetencji, możliwości pomocy. Och, gdyby się znaleźć przynajmniej w dziale C... To jest możliwe, za parę lat. Szkolenia, które organizuje firma dla tych, co chcą... Anka jeździła na nie, nie chciała skończyć na tym pokoju, na tym szarym linoleum... Teraz jest czas, żeby douczać się, być dyspozycyjną. Jeśli awansuje, tyle dobrych rzeczy będzie mogła zrobić...

Nagle cyfry w komputerze po wciśnięciu enter zamieniają się w informację. Anka przetarła oczy. Coś tu było nie w porządku, czuła to... Jej IQ 142 dawało o sobie znać w niepokojący sposób. Ale to by znaczyło...

– Beata, chodź do mnie, rzuć okiem. – Anka przechyliła się na krześle, tylko dwie tylne nogi stały na podłodze, linoleum w tym miejscu było prawie dziurawe od tego jej przechyłu („Nie kiwaj się na krześle, dziecko").

Beata przyciągnęła krzesło do biurka Anki i spojrzała w ekran. Nie była zdziwiona.

– Przecież wszystkie sprawy cztery jeden, jako wątpliwe, są odsyłane wyżej.

– Jakie wątpliwe? Przecież to są sprawy proste jak drut. Mam zamiar się tym zająć.

– Nie masz hasła... Hasła w każdym dziale są inne. Pamiętasz ustęp o zachowaniu tajemnicy służbowej?

– Eeee – Anka się skrzywiła – takie rzeczy mnie mają zniechęcić? To przecież ja zajmuję się sprawą Hermanowej, prawda?

– No to podpisz do wypłaty.

Anka zgarnęła rozsypane spinacze do szuflady. Szuflada nie dosuwała się do końca.

– Przy takich zastrzeżeniach firmy?

– No właśnie...

– Ale coś musimy zrobić, prawda?

– Jola jest w dziale B. – Beata ma zatroskany wyraz twarzy. – Może by nam pomogła... Ma hasło dostępu do bazy.

– Znasz ją?

– Pracowała tu przed tobą. Nawet byłyśmy zaprzyjaźnione... – Beata już prawie zapomniała, jak bardzo. – Ale Jola przeszła wyżej, miała coraz więcej obowiązków, to zrozumiałe.

– Spróbujesz? A ja spróbuję swoją drogą.

Beata zawsze kierowała się zasadą, że jeśli można pomóc, to się pomaga. Wyciągnęła rękę do telefonu.

– Poczekaj, muszę oddzwonić do mamy. Czeka na telefon.

Ręka Anki jest pierwsza przy słuchawce, a w pokoju jest jeden telefon na dwa połączone ze sobą biurka.

– Mamo? No? Dlaczego neurolog? Nic mi nie mówiłaś. Poczekaj na mnie, przyjadę. Mogę się wyrwać. To na pewno nie potrwa dłużej niż półtorej godziny. Albo... wiesz co? Poczekaj chwilkę. – Anka zasłoniła dłonią mikrofon. – Beatka? Ty miałaś znajomego neurologa, gdzie on przyjmuje? Przyjąłby mamę? Ma jakieś ognisko zapalne w czołowej części jakiegoś tam płata.

Beata kiwnęła potakująco głową i sięgnęła po notes z telefonami:

– Zadzwonię do niego dzisiaj. On chyba prywatnie przyjmuje, na Karmelickiej. Jasne, że cię przyjmie.

– Och, kochana jesteś, wiesz, jak jest z tymi państwowymi... To ja mamie powiem, żeby dzisiaj nie szła, dobrze? – Odsłoniła mikrofon. – Mamo? To jeszcze raz ja. Słuchaj, tutaj Beata... ojejku, jaka Beata, moja przyjaciółka, pracuje ze mną, pamiętasz? Beata obiecała, że zadzwoni do swojego znajomego. Wstrzymaj się, jeden dzień nie zrobi różnicy. Ja z tobą pojadę! Nie, nie pojedziesz sama, wstrętna pogoda, ja mam ryczałt na taksówkę...

Beata podniosła zdziwione oczy na Ankę, która uspokoiła ją wzrokiem i dalej mówiła do telefonu:

– Tak... obie mamy, firma przydziela... i nie wykorzystałam w tym miesiącu... Zadzwonię do ciebie wieczorem i wszystko ci powiem... No to pa! Pa!

Beata wertuje notes.

– Pisz, doktor Zagórski, telefon... sześćset osiemdziesiąt dwa, trzydzieści cztery, piętnaście, czwartki i piątki... Na pewno cię przyjmie. Zadzwonię wieczorem i powiem ci kiedy. To jeden z lepszych specjalistów od...

Anka jej przerwała:

– Przecież nie wiadomo, co to jest!

– Nic się nie martw... – głos Beaty brzmi spokojnie i pewnie – starsi ludzie chorują... Jak się zaczną badać, to zawsze coś wyjdzie na jaw... Mój ojciec, jak zrobił kompleksowe badania, to nagle się okazało, że ma nadczynność tarczycy, wrzody dwunastnicy i początek choroby wieńcowej. A nic mu nie było! A co ty z tym ryczałtem? Przecież nasz dział nie dostaje...

– Przecież jakbym powiedziała, że z własnej kieszeni, toby nie wsiadła do taksówki. Wiesz, jakie są matki... – W głosie Anki nie było złośliwości, kiedy przedrzeźniała głos matki: – „Ty, dziecko, na mnie nie wydawaj, lepiej byś sobie coś za to kupiła". A ryczałt jest ryczałt, nie pojedziesz, to przepadnie... Stare pokolenie czasem trzeba troszkę oszukać.

Beata zamknęła notes.

– To samo z moim ojcem... Aż przykro dawać prezenty pod choinkę. „Ale musiałaś wydać pieniędzy, dziecko". Na wodę po goleniu, rozumiesz...

Anka podeszła do Beaty i przytuliła ją.

– Oj, rozumiem, rozumiem. Bardzo ci dziękuję. Nie

dzwoń za wcześnie, będę późno w domu, zostanę tu trochę dłużej i pogrzebię w tych plikach. Przecież tak nie może być... To samo było z tą panią... pamiętasz?

– Grosko?

– Grosko... Pamiętasz numer jej akt?

– Zapisałam... na wszelki wypadek – powiedziała ku zdumieniu Anki Beata i wyjęła z biurka duży szary zeszyt.

– Jola mnie prosiła, żebym zawsze miała gdzieś zapisane... poza komputerem. Mam wszystkie. Zobacz...

Tym razem Anka pochyliła się nad ramieniem Beaty. Beata jest drobna, przekroczyła trzydziestkę, z tak bliska widać zapowiedź zmarszczek koło oczu. Ma krótko obcięte paznokcie. Wygodniej jej pisać, klawiatura nie lubi długich paznokci, choć jest o niebo wygodniejsza niż maszyna do pisania. Ku zdziwieniu Anki Beata nie pnie się wyżej, pracuje tu od paru lat, ale nie może sobie pozwolić na wyjazdy szkoleniowe – ma dwoje dzieci, męża, za wcześnie życie rodzinne ją wciągnęło, żadnych perspektyw. A mimo to przejmuje się swoją pracą.

Anka zastukała w jej zeszyt.

– Możesz mi to zostawić?

– Chciałam sprawdzić... ale sprawdź ty... Numery zaczynające się od czterdziestu jeden są do kasacji... Te pliki już potem nie odpowiadają. Jola mi mówiła, że nie przechodzą do działu B. A powinny.

– Jesteś naprawdę niesamowita! – Anka przerzucała kolumny cyfr i notatki. – Niesamowita! Że też ci się chciało... Beata! Przecież tu jest materiał na rewolucję! To znaczy, że tym sprawom ukręca się łeb?

– Przecież ci mówiłam już w sierpniu, że...

– Nie zrozumiałam cię... Ale teraz... Jasne! Zrobimy to, razem to zrobimy!

Anka jest pełna entuzjazmu. To są właśnie te perspektywy, o których myślała; niesłusznie podejrzewała, że Beacie na niczym nie zależy. Świat można zmienić małymi ruchami, trzeba zaczynać od tego, co najbliżej.

– Ach! – wyrywa jej się. – Gdybym miała taką władzę jak Sekretarz! Nie byłoby ludzi złych, niezadowolonych, nieszczęśliwych!

Siadła przy swoim biurku i oparła brodę na splecionych dłoniach. Piąć się w górę po to, żeby móc decydować! Nie wyścig szczurów, ale mądre zarządzanie – to jest to! Gdyby tylko mogła... Świat naprawdę stoi otworem.

Przecież sprawy pani Herman nie można tak zostawić...

Anka wpadła do biura po ósmej. Odwiesiła kożuszek i mocno zatupała nogami.

– Śnieg! – powiedziała przepraszająco, jakby to wszystko tłumaczyło.

– Jak mama? Jak ci się podoba doktor Zagórski?

– Genialny facet. Skierował ją na tomografię i jeszcze coś. Tu mam zapisane. Najgorsze, że podejrzewa, że to cierpnięcie nóg i to, że mama z trudnością się porusza, to jest *sclerosis multiplex*.

– Stwardnienie rozsiane? W tym wieku? No coś ty, to choroba młodych ludzi, ujawnia się przed trzydziestką, no, przed czterdziestką, ale nie później, to niemożliwe... Po prostu może chce wykluczyć to, co najgorsze...

Anka otworzyła szafkę i wyjęła zielony kubek. Dzień pracy musi zacząć od szklanki mocnej herbaty. Beata woli kawę.

– No tak... ale mama już przed czterdziestką miała takie napady. Kiedyś nie mogłam jej wyprowadzić z kina, nogi odmówiły jej posłuszeństwa. A przez ostatnie lata prawie nie wychodzi z domu. Myślałam, że to coś z krążeniem, leczyli ją na to. Przecież nie jest stara. Ma pięćdziesiąt osiem lat.

Beata wstukiwała w klawiaturę rzędy cyfr, to nie przeszkadzało im w rozmowie.

– Nie martw się na zapas. Mam dla ciebie dobrą wiadomość. Jola mi przekazała takie informacje... popatrz. – Beata sięgnęła pod biurko. Mała zielona dyskietka powędrowała na biurko Anki, która odstawiła kubek i nachyliła się nad swoim komputerem. Beata przeszła na jej stronę, obie śledziły pojawiające się wykresy.

– No i co ty na to?

Anka milczała.

Trzeba podjąć decyzję, a to nie jest łatwe. Można się narazić tym na górze. Ale można również spróbować wyjaśniać sprawę. Iść z informacjami wyżej. Może warto? Na dyskietce jest dużo danych – to sprawy odesłane do działu B i C, a ona, Anka, może zostać po godzinach, przyjrzeć się temu uważniej. Może to tylko błąd programu, a może trzeba będzie wziąć na siebie odpowiedzialność za sprawę nie tylko pani Hermanowej, ale za wszystkie inne sprawy? W końcu, co to zmieni, jeśli podpisze wypłatę tylko Hermanowej. Przecież takich Hermanowych jest więcej!

Beata przyglądała się jej z uwagą, a potem, jakby czytając w myślach koleżanki, powiedziała:

– Nie mogę dzisiaj zostać. Mam tu wypisane nazwiska, które odrzucono. Wiesz, że na sto odrzuconych tylko jedna osoba ma pieniądze na prawnika? Zobacz! To wygląda na celową politykę firmy! I jeszcze jedno... Posłuchaj, przeczytam ci. „Uprzejmie przepraszamy za niedociągnięcia naszych pracowników. Asystent Krążek została zwolniona w trybie dyscyplinarnym za niesubordynację i niewywiązywanie się ze swoich obowiązków służbowych. W wyniku jej pomyłki należne pani pieniądze trafiły – słuchaj uważnie – na inne konto"... itede – głos Beaty jest beznamiętny – „ale należna pani suma wraz z odsetkami zostanie natychmiast przekazana na konto wskazane przez"...

– Daj. – Anka wyciągnęła rękę. – Coś mi tu śmierdzi.

– Aneta Krążek pracowała tutaj przed tobą – powiedziała Beata z naciskiem.

– Ja się tak łatwo nie dam zwolnić!

I w tym momencie Anka podjęła decyzję. Zostanie dłużej. Zobaczy, co można z tym wszystkim zrobić. Oczywiście, jej podpis na polisie Hermanowej załatwiłby wszystko. Nie, nie wszystko, jedynie sprawę pani Hermanowej. A jest tyle innych spraw!

– A jak ci się udała kolacja? – Beata zmieniła temat.

Anka uśmiechnęła się. Beata już dawno zapomniała, co znaczy nastrojowa kolacja z narzeczonym. Jest wciśnięta w kierat domowych obowiązków. Dzieci, mąż.

– Fantastycznie. – Anka się przeciągnęła. – Chcemy razem zamieszkać.

– Łatwiej razem – westchnęła z przekonaniem Beata.

Nie chodzi o łatwiej! Chodzi o to, żeby budzić się razem i kłaść, żeby nie tracić czasu, który jest tak cenny. Ale Beata myśli innymi kategoriami.

– Janek jest taki... – Anka nie wie, jak to wytłumaczyć. – Może nawet pomyślimy o dziecku? W każdym razie Janek... on... Ja może też... trochę... Choć właściwie dotychczas o tym nie myślałam. On by chciał, żeby miała na imię Karolina. Wiesz, że nigdy nie myślałam, że to mężczyzna będzie mówił pierwszy o dziecku?

– Dzieci – westchnęła Beata. – To nie takie proste...

– Dzieci – powtórzyła za nią z radością Anka.

– Małe dzieci, mały kłopot, duże dzieci, duży kłopot...

– Otóż to... A jak twoja Julcia?

– Babcia z nią siedzi. Znowu ma zapalenie oskrzeli.

Anka spojrzała w okno. Mglisto, drobny śnieg tuż przy ziemi topnieje i marznie na przemian. Najgorsza temperatura to takie nic – wahanie wokół zera. Niechby był chociaż mróz!

– Przy takiej pogodzie... Nic dziwnego. Czemu nie idziesz na zwolnienie?

– Zgadnij.

– Rozumiem. – Anka zdała sobie sprawę, że pytanie było głupie. – Niełatwo ci. Dobrze, że masz chociaż babcię do pomocy.

– Dobrze. Jasne, że dobrze...

Anka wyjęła dyskietkę, na której, była o tym przekonana, jest jej przyszłość. Bo wszystko można zmienić! Wszystko! Nie będzie żadnej pani Hermanowej, nie będzie spraw zaczynających się od czterdziestu jeden, już ona nad tym popracuje! Tylko trzeba się do tego mądrze zabrać, nic na hura, nie wzbudzać podejrzeń, bo skończy jak asystentka Krążek.

– Chętnie bym dzisiaj wyszła wcześniej.

Do Anki nie od razu dotarła prośba Beaty.

– Ania!

– Nie widzę przeszkód. – Anka wie, że Beata nieczęsto wychodzi, a ona sama nie dalej jak wczoraj spóźniła się całe dwie godziny. – Idź! Zajmę się wszystkim. I dziękuję, że mogłam z mamą jechać do lekarza... Idź, w ogóle idź teraz, poradzę sobie... Masz dziś jakichś klientów?

– Nie. Nikogo. Jakbym mogła mamę zmienić o drugiej...

Oczywiście, że może. Przed Anką dużo pracy. Człowiekowi lepiej się myśli, kiedy nikogo nie ma.

Odłożyła teczki. Przetarła oczy. Ekrany nie miały zabezpieczeń – uświadomiła sobie, że wzrok jej siada. Świeci słońce i w słońcu widać dokładnie, jakie smutne jest to ich biuro. Przetarte linoleum, biurka sprzed wieków. I ten cholerny czajnik! Nawet gdyby postawiły tu kwiaty, nic by się nie zmieniło. Nigdy nic się nie zmieni w dziale A. Górne piętra są odnowione, nawet windy wymienili. A tu rozpacz. Z szafki przy drzwiach odkleiło się długie pasmo forniru, wyziera spod niego szara płyta paździerzowa.

Dźwięk telefonu wyrwał ją z zmyślenia. Beata pierwsza wyciągnęła rękę po słuchawkę. Gdy ją odłożyła, w jej wzroku było przerażenie.

– No co? – Anka spojrzała na nią pytająco.

– Za moment będzie Sekretarz! U nas! Coś podobnego! Uprzątnij to! Weź te dyskietki!

Sekretarz nigdy nie przychodziła do ich działu. Musiało wydarzyć się coś ważnego, może się dowiedziała, że Anka złamała kody? I jest już tak blisko wyjaśnienia sprawy?

– Sekretarz? Do nas? Coś się stało?

– Nie mam pojęcia!

Beata zaczęła kręcić się jak w ukropie, Ance nagle zrobiło się gorąco. Schowała kubek do szafki – za szybko, nadłamany klucz skaleczył ją w dłoń.

Kiedy Sekretarz stanęła w drzwiach, obie sztywno siedziały przy biurkach. Sekretarz była kobietą w nieokreślonym wieku. Znakomicie ubraną kobietą. Anka widziała ją raz, w windzie, kiedy jechała na szóste do Joli. Buty z modnym czubem, kostium jak spod igły, fryzura jakby wyszła z rubryki „Jak wyglądać na stanowisku". Wszystko w tej postaci było absolutnie doskonałe.

– Dzień dobry paniom. – Nawet głos. Nie za wysoki, nie za cichy, nie za przyjazny. – Chciałam panie zawiadomić osobiście o kursie szkoleniowym QSQ. Odbywa się w dniach od szesnastego do dwudziestego piątego, jest jedno miejsce dla działu A. Wiem, że pracujecie tu panie trzy, ale jak widzę, pani Jedmin jest nadal na urlopie macierzyńskim. Decyzję muszę mieć szybko, najdalej do jutra.

Anka odetchnęła z ulgą. Więc nie chodzi o kody – zresztą, skąd by wiedzieli – chodzi o szkolenie. A to szkolenie otwiera szansę na awans. Beata pracuje tu dłużej, Anka chce to powiedzieć, ale milczy.

Beata milczy również. Anka spuszcza oczy. To Beata powinna się zgłosić...

Sekretarz niecierpliwi się leciutko, niedostrzegalnie, ale Anka zauważyła ten ruch brwi i to niepokojące skrzywienie lewego kącika ust.

– Proszę bardzo! Którą z pań mam zapisać?

– Jaki to kurs? – spytała Beata.

Niepotrzebne spytała, przecież Sekretarz powiedziała: QSQ. To najważniejszy kurs w tej firmie, wszyscy to wiedzą!

– Chciałabym... – zaczęła Anka i od razu zdała sobie sprawę, że nie zrobiła najlepiej.

Sekretarz już nie odpowie Beacie, bo skierowała swoje bardzo dobrze pomalowane oczy – prawie nie widać makijażu, ale Anka zna się, wie jak wygląda dobrze podmalowana kobieta – na Ankę.

– Pani godność?

I wtedy Anka nieśmiało szepnęła:

– Ale koleżanka dłużej tu pracuje...

– Ja mam chore dziecko – powiedziała Beata i Anka zrozumiała, że właśnie oddała decyzję w jej ręce.

Tylko że w sobotę ma się do niej wprowadzić Janek. Jest zamówiony samochód i ludzie do przeniesienia pianina. Sobota to dwudziesty czwarty – a przecież musi przygotować mieszkanie, uprzątnąć swoje rzeczy, zrobić miejsce dla jego rzeczy. Ale Janek przecież może wprowadzić się parę dni później, szkolenie nie zostanie przesunięte, jest jakaś hierarchia ważności.

– Proszę pań, ja nie mam czasu!

I Anka podejmuje decyzję.

– Anna Szafran.

– A więc pani Anna Szafran. Wyjazd szesnastego spod firmy. Tu jest prospekt. Proszę się z nim zapoznać.

Sekretarz kładzie na biurku Anny kartki; Anka się podnosi, jakże jej ciężko się podnieść! Widzi z bliska wzrok Sekretarz. Sekretarz patrzy na jej spódnicę, a przecież spódnica jest ładna, czarno-fioletowa z wszytymi lusterkami, z przeceny w sklepie hinduskim, taka, jakie Anka lubi, szeroka, luźna, prawie do ziemi.

– To chyba nie jest odpowiednie ubranie... Do zobaczenia więc.

Kiedy drzwi się zamknęły, Anka opadła na krzesło. Co znaczy nieodpowiednie ubranie? Nieodpowiednie dla Sekretarz, na pewno, ale ona, Anka, nie będzie się przebierać – w tym pokoju i tak ona i Beata stanowią najładniejszy element wyposażenia. Anka stłumiła śmiech; zawsze tak reaguje, gdy jest zdenerwowana, najpierw całe ciało się spina, a potem chce jej się śmiać.

– Beatka... Nie chciałam... Słuchaj, zrobię ten kurs, w końcu przecież zawsze będziemy działać razem.

Beata nie patrzy jej w oczy, mówi bardziej do siebie, niż do niej:

– Ja i tak nie mogłabym jechać. A ona jak tylko weszła, patrzyła wyłącznie na ciebie. To znaczy, że na ciebie mają oko.

– Jak to oko?

– Z Jolą było tak samo. Pracuje już wyżej.

Ance robi się przykro.

– Nawet jeśli masz rację, to czy to coś zmieni między nami? Słuchaj, Beatka, to przecież będą większe możliwości wzajemnej wymiany informacji, będzie można coś lepszego zrobić dla ludzi, dla firmy! Poza tym...

Pukanie do drzwi ratuje ją przed dalszym tłumaczeniem się. Właściwie nie wiedziała, co powiedzieć.

W drzwiach staje Janek i serce Anki zaczyna bić szybciej. Dlaczego przyszedł bez uprzedzenia? I czy to właściwe? Co powie Beata na Janka? Oczywiście, kiedyś by się poznali, ale nie w ten sposób, nie w tym brudnym pokoju, tylko na kolacji w domu, wieczorem, Beata przyszłaby z mężem, Janek nalewałby wino, wszystko byłoby inaczej. Anka patrzy na Janka i Beatę. Kogo pierwszego przedstawia się komu – kobietę mężczyźnie, mężczyznę kobiecie? Osoba mniej ważna... Zaraz, zaraz, jak to było?

– Janek, pozwól, to Beata, mówiłam ci o niej...

– Bardzo mi miło.

Janek wyciąga rękę, ma mocną dłoń, Beata wyciąga swoją. Wszystko jest nie tak.

– Pan od pesto? – pyta Beata, i Janek się rozjaśnia.

– Och, jak Ania to przyrządza! Naprawdę palce lizać. Może kiedyś pani do nas wpadnie na pesto?

– Z przyjemnością – mówi Beata i Anka oddycha z ulgą.

Właściwie dlaczego jej tak zależy na tym, co powie Beata o mężczyźnie, którego ona, Anka, już wybrała, i który wybrał ją? To głupie, głupie i dziecinne, przecież Janek ma się jej podobać, a nie Beacie, nie mamie, choć oczywiście milej byłoby, gdyby... no właśnie, gdyby co? Lepiej go zapytać, co tu robi, niż wdawać się w rozważanie, czy mężczyzna nie powinien przydawać jej blasku. Artysta!

– Co tu robisz?

– Wyciągam cię na obiad, jeśli możesz się urwać.

– Idź, idź – mówi Beata – ja jutro wyjdę wcześniej.

Anka chwilę się waha, ale przecież na czterdzieści minut może wyjść.

– Zamówiłem samochód na sobotę rano. Będzie kłopot z pianinem... Nie mają pasów...

Na sobotę? Przecież w sobotę jest dwudziesty drugi. Szkolenie! A ona musi przygotować mieszkanie, przełożyć własne rzeczy... Nie, w sobotę nie!

– Tak się umawialiśmy... – ciągnie Janek.

Jak dobrze ją zna. Wie, że coś jest nie tak. Ale wszystko jest w porządku, po prostu trzeba wyjaśnić, przełożyć... Nie musi się bać. Janek jej nie ucieknie, ma do niego zaufanie, znają się przecież nie od pięciu minut... Więc dlaczego strach podjechał jej nagle do gardła?

– Ale w tej chwili się dowiedziałam, że szesnastego wyjeżdżam na szkolenie...

– Przecież mówiłaś, że bierzesz urlop...

– Chciałam wziąć, ale nie zdążyłam nawet porozmawiać z szefową. Była u nas Sekretarz i zapisała mnie na szkolenie.

– To świetnie. – Janek wie, jak bardzo jej zależy na pracy. – No to jedź. Poradzę sobie sam.

Sam? No właśnie o to chodzi. Przecież to do niej ma się wprowadzić... Ona musi posprzątać, posortować, powyrzucać, zrobić miejsce.

– Ale przecież ja muszę przygotować mieszkanie! Nie zdążę przed sobotą... Będę na szkoleniu, a do szkolenia zostało parę dni, i muszę z mamą jechać do lekarza, i na dodatek dzisiaj mam dłużej posiedzieć... nad tymi sprawami, które nie mogą czekać, skoro nie będzie mnie parę dni...

Och, jak on nie rozumie. Krzywi się, a przecież trzeba przełożyć tę przeprowadzkę, parę dni wte czy wewte nie zrobi różnicy. Tylko dzisiaj ten obiad...

– Nie, nie pójdę z tobą na obiad. Mam sporo roboty. Skoro mnie nie będzie przez...

Beata podnosi się i wychodzi.

Jak zwykle dyskretna. Janku, po co przyszedłeś? Mogliśmy to załatwić przez telefon, stawiasz mnie w takiej niezręcznej sytuacji...

Anka bierze do ręki kalendarz i przerzuca kartki.

– Słuchaj, przepraszam, ale przesuńmy to powiedzmy na... na po dwudziestym... na pierwszego... Muszę wszystko przygotować, trzeba przesunąć stół i znaleźć nowe miejsce dla książek, przenieść do małego pokoju łóżko...

– Ja to zrobię.

Głuptas!

Anka uśmiecha się i całuje go w ucho.

– Przecież nie będziesz przenosił mojej bielizny. Przesuńmy to... Na trzeciego. To jest sobota. OK?

– Ale już wymówiłem mieszkanie. Nie wiem, czy da się to cofnąć.

– No to zadzwoń szybciutko! – Anka przesuwa w jego stronę telefon.

– Dobra. Zadzwonię. Od siebie. Długo dzisiaj tu zabawisz?

Całe szczęście, że Beata wyszła.

– Beaty córeczka, Julcia, jest chora. Muszę posiedzieć, wyprostować parę spraw. Zadzwonię wieczorem. Albo wiesz co? Umówmy się od razu. O dziewiątej. W Ulubionej. Tam dają świetnego kurczaka. OK?

Janek nachyla się do niej, jest dużo wyższy, jakie to przyjemne przytulić policzek do jego swetra, poczuć jego dłoń na plecach. Nie stało się nic złego, po prostu mała zmiana planów, a on rozumie, i za to Anka go kocha.

– Kocham cię – szepcze cicho prosto w brązowy sweter.

– I vice versa.

Odprowadza go do drzwi i zarzuca mu ręce na szyję.

– Wszystko będzie dobrze, zobaczysz!

Jak to dobrze mieć pewność, że wszystko będzie dobrze!

*

Ostre słońce świeci prosto na ekran komputera. Na wyższych piętrach mają żaluzje, tutaj też by się przydały. Och, gdyby Anka była szefem, szefem na takim poziomie, o jakim nawet nikomu nie przychodzi do głowy pomyśleć, przeszłaby się po wszystkich piętrach i zobaczyła, czego ludziom trzeba. Przecież dobry pracownik to ten, który utożsamia się z firmą. A niełatwo utożsamiać się z codziennym widokiem startych klepek dębowych, niewygodnych biurek, na których komputery wyglądają jak przybysze z kosmosu i na dodatek nogi są narażone na niebezpieczeństwo. Trzeci raz już w tym tygodniu zaciągnęła rajstopy na udach.

Anka mruży oczy, dobrze, że słońce za chwilę przejdzie dalej, będzie świecić na podłogę i segregatory po prawej.

– Co mówisz, mamo? – Wyłączyła się na chwilę i głos w ciemnej słuchawce zanikł. – Nie, naprawdę dziś nie mogę, mamo. Oczywiście, że wpadnę w niedzielę. Naprawdę mam sporo pracy. Nie zdajesz sobie sprawy z tego, co się dzieje. Wszystko ci opowiem... Ale trochę pomagają? Czy w ogóle? Mamo, leki nie działają od razu, przecież od razu ci się nie poprawi... Trzeba czekać... Wiem. Do okien przyjdzie pani Krysia. No, to całuję, pa, pa...

Anka odkłada słuchawkę, patrzy na Jolę. Chyba nie ma jej za złe rozmów z matką. Tyle roboty. I na dodatek to słońce. Widać każdą smugę na szybie.

– Rodzice... – mówi Anka. Pani Jola uśmiecha się. – U nas też to okno wymaga mycia. Wiadomo, wiosna, wszystko widać. Mama nie może zrozumieć, że ja pracuję, a nie obijam się. No, pani Jolu, gdzie są te dokumenty?

Jola usłużnie podaje jej kilka teczek. Anka obciąga szary sweter i odwraca monitor, teraz słońce już nie przeszkadza odczytywać plików. Siada przed monitorem, pstryka w klawiaturę.

– Pani Anno, nie mogę dostać się do plików z lutego... – mówi Jola od swojego biurka.

No proszę, znowu to samo.

– Taaa... Sekretarz zmieniła kody... Tylko jedna osoba z działu ma do nich dostęp...

Pani Jola patrzy na nią wyczekująco, wreszcie wzdycha.

– Rozumiem, że nie ja jestem tą osobą?

Zaczyna się! Znowu jakieś wąty, niedomówienia, zazdrość? To jasne, że zawsze osoba obdarzona większym zaufaniem przez firmę budzi zazdrość. Ale przecież zazdrość jest tu kompletnie nie na miejscu.

– Pani Jolu! – Anka decyduje się w jednej chwili. – A może byśmy przeszły na ty? Jeśli mogę zaproponować? Przecież to nieważne, która z nas. W każdej chwili, jak będzie pani potrzebowała jakiejś informacji, chętnie służę, przecież współpracujemy...

Anka się uśmiecha, wyciąga rękę, pani Jola przez chwilę się waha, a potem ich dłonie spotykają się.

– Jola.

– Anka.

Wszystko zawsze można załatwić. Najważniejsze to nie robić sobie wrogów. Anka się podnosi – psiakrew, znowu nadszarpnięty kawałek spódnicy, biurka rozlatują się, wszędzie jakieś drzazgi, nie pamiętała o tym – a wódka żołądkowa gorzka stoi w szafce, koło dużego fikusa, napiją się łyczek, za przyjaźń, za wspólną pracę, więc Anka podnosi się i nalewa do plastikowych kubeczków po odrobinie alkoholu.

– Proszę – podaje kubeczek Joli. – Bez tego się nie liczy.

Upija łyk, uśmiechają się do siebie.

– To ja cię od razu poproszę o ten zestaw.

Jola odstawia kubeczek na biurko.

Anka bierze z jej rąk wydruk, rzuca okiem, włącza swoją drukarkę, wystukuje kody, drukarka wolno wypluwa rzędy cyfr.

– Już się robi.

– Dziękuję.

– Będzie nam się wspaniale pracowało.

– Mam nadzieję.

Czy nie udowodniła tego przed chwilą? Czy zawsze tak musi być, że nowa osoba, która gdzieś tam niżej się sprawdziła, musi być postrzegana jako wróg?

– Szukała pani... szukała cię pani Herman.

– Na śmierć zapomniałam! – Ance robi się przykro. Była z nią dzisiaj umówiona, ale zebranie kierowników działu przeciągnęło się niespodziewanie.

– Tu jest jej numer. – Jola odrywa żółtą kartkę z bloczku pamięci. – Prosiła o telefon.

Drukarka wyrzuca z siebie dziurkowany po bokach papier. Anka niechętnie podnosi słuchawkę. Powinna porozmawiać z panią Herman. Mój Boże, ta sprawa ciągnie się od... Nie pamięta od kiedy. Trzeba być cierpliwym, nic nie dzieje się od razu.

– Dzień dobry pani, tu Anna Szafran... – Ton głosu musi być miły, ale służbowy, z dystansem, nie familiarny, to obraża klienta. – Tak, tak... Wiem, wiem, pamiętam o sprawie. Nieco się skomplikowała, wyszły na jaw nowe okoliczności, szukam dokumentów w naszych archiwach, ale wszystko jest na dobrej drodze... Proszę pamiętać, że wszystko jest na dobrej drodze... Obiecuję, że na początku przyszłego miesiąca dam pani znać. Niech mi pani nie dziękuje, to mój obowiązek... – Anka odkłada słuchawkę i poprawia włosy. Nie lubi związanych, niesforne kosmyki wysuwają się zawsze z prawej strony. Ale nie może wyglądać jak asystentka w dziale A.

– I Beata z działu A prosiła o telefon.

Beata! Anka nie widziała się z nią od tygodni, ale cieszy się, że stara znajoma o niej pamięta. Ona sama nie ma teraz głowy do podtrzymywania znajomości, wiedziała, że awans to więcej pracy, ale nie spodziewała się, że tak innej, tak wciągającej.

Anka uśmiecha się przepraszająco w stronę Joli, nie powinna korzystać ze służbowego telefonu, ale to przecież ta sama firma.

Łapie słuchawkę i wykręca numer.

– Beata! Cześć, kochana, co słychać? Jak Julka? Dzieci, dzieci... No nie, na razie nie... Nie planujemy... Właściwie to Janek mieszka osobno... wiesz, obydwoje jesteśmy zapracowani... To się zmieni, ale na razie ustaliliśmy, że tak będzie lepiej... Zarabiamy na własne... Nie ma co się spieszyć... Przyjdź do mnie w sobotę! Na pesto! Pogadamy!... Ach, pliki? Wiesz, nie bardzo mogę, weszły nowe przepisy... OK, ale dla ciebie...

– Anka rzuca okiem na Jolę, Jola udaje pochłoniętą pracą, ale nie może nie słyszeć rozmowy. – Podaj numer. – Anka powtarza za głosem ze słuchawki: – Dwa, kreska, czternaście, sześć, siedem, osiem, zero, kreska, dziesięć, dziesięć, dwadzieścia pięć, kreska, łamane? Łamane przez sto dwadzieścia osiem. Dobrze. Sprawdzę to dla ciebie. No i czekam w sobotę o... powiedzmy o dziewiętnastej. Pogadamy!

Twarz Joli się zmienia, gdy mruczy od swojego biurka:

– Przecież są nowe kody, podobno informacje mają nie wychodzić poza działy.

– A czy jakaś wyszła, Jolu? – Anka stara się być dowcipna, ale właściwie nie ma ochoty się tłumaczyć. Trzeba Jolę ustawić. – Ludzie powinni sobie pomagać. Od tego jesteśmy.

– OK. Sprawdzałam cię. – Jola uśmiecha się po raz pierwszy szczerze, szeroko, jej oczy zamieniają się w szparki.

– No i jak?

– Myślę, że będzie nam się dobrze pracowało.

Anka oddycha z ulgą; jest tyle do zrobienia, naprawdę warto robić to wszystko z osobami, do których ma się zaufanie, które myślą i czują w podobny sposób, świat będzie lepszy, jeśli tylko my będziemy lepsi.

Drukarka przestaje brzęczeć, drukarki tutaj powinny być laserowe, Anka urywa papier, składa strony, odrywa podziurkowane brzegi.

– Pesto? Gotowe czy robisz?

Nie wszystkie dziurki poddają się obróbce, Anka wyjmuje nożyczki i uśmiecha się.

– Oczywiście że robię.

– Jak?

– Według przepisu. Dwa albo trzy pęczki świeżej bazylii. Zawsze można dostać w Geancie. Piętnaście deka parmezanu, świeżego, nieoszukiwanego. Czosnek – też świeży. Siekam, wyciskam, mieszam, dodaję oliwy – ale prawdziwej oczywiście, nie tego świństwa, broń Boże nie oleju, zepsuje cały smak – najlepiej tłoczona na zimno, mieszam, ot i cały sekret. Parę włoskich orzechów, ze dwa. Do tego makaron włoski Ciaravello, kupuję we włoskim sklepie, gdzie indziej trudno dostać, ma inny smak, i danie gotowe.

Jola kiwa głową. Pewno kupuje gotowy sos, myśli Anka, a przecież nie ma porównania z gotowym. Janek przepada za pesto, widują się co prawda rzadziej, ale jakież to romantyczne!

★

Anka wchodzi do windy. Nigdy nie bała się wind, a teraz odczuwa niepokój. Głupi, irracjonalny niepokój. Ciemne lustra odbijają szczupłą sylwetkę. Anka wyjmuje szminkę i przeciąga nią po ustach. Dobrze, że obcięła włosy i dobrze, że zrzuciła parę kilo. Kostium leży jak na nią szyty. Winda zatrzymuje się, Anka wychodzi, ale napięcie rozlewa się po jej ciele, dopiero teraz czuje, że te jazdy kosztują ją coraz więcej zdrowia, chce się jej wyć i lekko drżą kolana. Co za idiotyzm, poddawać się takiej histerii! Prostuje ramiona i wchodzi do swojego gabinetu.

No, jej gabinet to trochę za dużo powiedziane, gabinet jest również jej, dwa potężne stoły i owszem, dużo przestrzeni, siedzą tylko we dwie, Anna i jej asystentka. Nie najgorzej, choć oczywiście wolałaby, żeby asystentka była osobno. Tu przynajmniej są żaluzje w oknach, miękka wykładzina tłumi nawet głos. Mogłaby zrezygnować z tej przestrzeni – pokój jest bardzo duży – byle była sama.

– Pani Anno... – Asystentka patrzy na nią z uznaniem.

To znaczy, że pieniądze wydane na kostium nie poszły w błoto.

– Tak, słucham!

– Dzwoniła Sekretarz. Chce się z panią dzisiaj widzieć. O siedemnastej.

– Dziękuję pani.

Anna kieruje się do swojego biurka. Tyle papierów do podpisania! Z każdym dniem coraz więcej i więcej. A przecież asystentka powinna robić selekcję, kłaść na jej biurko tylko te najważniejsze sprawy.

– Dzwoniła również pani matka, Beata z działu A, Jan Rokic i...

– Dziękuję.

Anka wkłada okulary; nie nosi ich stale, ale do czytania tak, poza tym okulary, nawet jeśli to plus zero i pół, przydają jej twarzy powagi. Lubi je, odgradzają ją od świata, asystentka nie powinna jej teraz przerywać.

– Nie oddzwoni pani? Pani mama mówiła, że źle się czuje...

Anna zdejmuje okulary. Jakby chciała natychmiast odpowiadać na telefony, kto by pracował? Asystentka chce, oczywiście, dobrze, ale Anna musi jakoś zachować dystans.

– Proszę pani, kto dziś się dobrze czuje! Moja matka ma

stwardnienie rozsiane... ale jest z nią pielęgniarka. Wiele osób życzyłoby sobie takiej opieki.

Anka wkłada znów okulary, ale litery tańczą jej przed oczyma. Jakim prawem asystentka zwraca jej uwagę? Dobrze, lepiej teraz zadzwonić, będzie z głowy.

– Mamo! Tak, to ja. Kochanie, nie mogę z tobą rozmawiać. – Anka ścisza głos, przecież zawsze podkreśla, że telefony prywatne tylko w razie pilnych spraw, a niestety, nie pracuje sama w pokoju. – Pracuję! Nie możesz tego zrozumieć? Nie, dziś na pewno nie, mam spotkanie o siedemnastej... Normowany czas pracy był za twoich czasów... Mamo! Czy ty myślisz, że ja mam czas na kłótnie z tobą przez telefon? Co znowu Marysia! To daj mi na chwilę Marysię! Ale na moment! – Anka jest zniecierpliwiona. Dlaczego nikt nie rozumie, że tu się pracuje. – Co tam, pani Marysiu? Jeśli mama chce, to dlaczego nie? Dobrze. Dobrze. To niech ją pani zostawi na chwilę samą, przecież nic się nie stanie. I proszę kupić... Nie, słodyczy nie. Mama ma podwyższony cukier! To co z tego, że chce! Dobrze, jedną niech pani jej da, dla świętego spokoju. Jedna jej nie zaszkodzi. To nie jest cukrzyca, tylko podwyższony cukier. Dobrze. Niech mi ją pani da na chwilę. Mamo? Naprawdę w takiej sprawie musisz dzwonić? Marysia da ci te galaretki! Ale nie jedz więcej niż dwie, góra trzy. Pamiętaj, że masz podwyższony cukier. Ja wiem. Dobrze, pomyślę o kim innym... Pomyślę, powiedziałam ci... Naprawdę staram się pomagać ludziom, a ty...

Odkłada słuchawkę. Niech to diabli. Nienawidzi, gdy się ją traktuje jak dziecko! I jeszcze miała świadka tej idiotycznej rozmowy. Kreśli parę słów na kartce i podaje asystentce.

– Czy mogłaby pani sprawdzić te dane? Bardzo proszę, żeby o drugiej były gotowe.

Asystentka kiwa głową. Czy powinna potaknąć wyraźniej? Coś powiedzieć? Choć przecież „tak jest" brzmiałoby koszarowo. I znowu telefon! Asystentka słucha przez chwilę, zasłania dłonią słuchawkę i cicho mówi:

– To pani Jolanta z działu C, będzie pani rozmawiać?

Anka podnosi wzrok do nieba, jakby wzywała je na świadka, że pracować się nie da, ale bierze słuchawkę do ręki.

– Jolunia! Jak miło cię słyszeć! No tak, ale miałam kupę roboty. Byłam, byłam. Wiesz, śliczny ośrodek, zresztą to szkolenie w ramach pracy, tym razem nie musiałam brać urlopu, ha, ha, ha! Może się na którymś spotkamy. O co chodzi? Herman? U ciebie? Nie, tutaj niech nie przychodzi. Zadzwonię do niej. Daj mi jej numer telefonu. – Anka zapisuje numer na kartce, przyciska ramieniem słuchawkę, drugą ręką podnosi żaluzję. Jest taki piękny dzień. – Dobrze, oczywiście, zadzwonię. Tyle miesięcy ciągnie się ta sprawa. Trzeba to koniecznie zakończyć. Tak, tak. Z tym że wiesz... ładnych parę tysięcy wchodzi w grę, a jednak z tym... nie pamiętam, jak miał na imię... Stanisławem, tak? Jej synem, to nie była taka prosta sprawa... Pojawiają się nowe okoliczności... Nasz biegły powtórnie sprawdził... Dobrze. Beata? Jaka Beata? Aaaa, Beata. – Anka na pozór się rozjaśnia, ale wyraz jej oczu nie zmienia się, a po chwili pojawia się pionowa zmarszczka między brwiami. – Beata, oczywiście, oczywiście... Nic dziwnego, że mnie nie mogła zastać, nie było mnie przez dwa tygodnie. Teraz też wyjeżdżam. Do Wiednia, w przyszłym miesiącu. Dobrze. Dziękuję, do widzenia.

– Nie wiem, czy pani pamięta, ale pan Jan dzwonił trzy razy.

No i tak to się kończy. Wtrącaniem się w nie swoje sprawy.

– Słyszałam. Niech pani będzie tak dobra i zaniesie to do działu F. – Anka podaje asystentce dokumenty. Już podpisane.

Asystentka skwapliwie bierze od niej teczkę i wychodzi. Anka podchodzi do telefonu i wystukuje numer Janka.

– Janku? Nie, nie dziś... Wypadło mi pilne spotkanie. Ale jutro. Widzieliśmy się niedawno. Niedawno, niedawno. Tuż przed moim wyjazdem. Dla mnie niedawno, bo mi czas strasznie szybko leci. Dobrze. Na pewno. Jutro. – Dlaczego Janek nie rozumie, że ona naprawdę jest zajęta? I te jego propozycje... – Nie w Ulubionej. Tam śmierdzi. Pojedziemy do Wilanowa. Nie przesadzaj, zapraszam cię. Oczywiście. Kocham cię.

Dobrze, ta sprawa też załatwiona, można wrócić do pracy. Kiedy rozlega się pukanie do drzwi, Anka podskakuje. Gdyby miała oddzielny pokój, mogłaby skupić się na rzeczach ważnych. A jak w takich warunkach można pracować? Asystentka stoi w drzwiach, jakby broniąc dostępu do niej. Ale komu, Beacie?

– Kierowniczka jest zajęta.

– Ja tylko na chwilę. – Beata zza pleców asystentki daje znak oczami, Anka nie może udawać, że jej nie zauważyła. No cóż, trzeba przerwać, zresztą jest wpół do czwartej, nie wiadomo dlaczego ten czas tak szybko leci.

– Beata? Siadaj, kochana, siadaj, co u ciebie słychać? Jak Julka? Napijesz się herbaty? – Anka sadza Beatę na krześle koło okna, całe szczęście, że tu jest dość miejsca na przyjmowanie gości. – Pani Elu, proszę o dwie herbaty! Nie było mnie, wiem, że dzwoniłaś, ale byłam na szkoleniu. Wiesz, wciąż to podwyższanie kwalifikacji, mam głowę taką! – Anka rozkłada ręce, wie, że Beata chce coś powiedzieć, ale lepiej będzie, jeśli się wytłumaczy, zanim padną te śmieszne zarzuty: dlaczego nie oddzwoniłaś, lekceważysz mnie itd. Czasem ma tego powyżej uszu, jakby ludzie nie rozumieli, że naprawdę jest osobą, która poświęca firmie mnóstwo czasu i nie starcza go na głupstwa.

– Ale opowiadaj, co u ciebie?

– Właśnie...

– O, jest herbata! Słodzisz?

Najważniejsze, żeby Beata poczuła się z nią tak jak kiedyś, żeby nie odczuła różnicy, żeby było tak jak dawniej, kiedy siedziały w tym samym pokoju, tam na dole.

– Tutaj, dziękuję pani bardzo! No, co słychać? Dawno bym już się odezwała do ciebie, ale czasem nie wiem, na jakim świecie żyję. Wiesz, o której wczoraj byłam w domu? Nie zgadniesz! O pierwszej w nocy. Tak się przeciągnęło zebranie zarządu. No, ale...

Beata powoli podnosi filiżankę do ust, trzyma przez chwilę, upija łyczek, odstawia filiżankę.

– Słuchaj, pani Herman...

– Pamiętam, pamiętam, nie musisz mówić, rozmawiałam nie dalej jak parę minut temu z Jolą i wszystko mi powiedziała. Pamiętam, czuwam, o nic się nie martw. Może zobaczymy się jakoś w przyszłym miesiącu? Nie tutaj, bo tutaj...

I jakby na zawołanie dzwoni telefon, asystentka podnosi słuchawkę i wyczekująco patrzy w stronę Anny. No właśnie, tak wygląda dzień pracy Anny. Anna przepraszająco rozkłada ręce, ale Beata rozumie, podnosi się i sunie w kierunku drzwi.

– Sama widzisz – tłumaczy Anka – ani chwili spokoju, koniecznie się musimy spotkać, koniecznie... – I mówi do słuchawki: – Proszę chwilę zaczekać... – a potem znowu do Beaty, szeptem, porozumiewawczo: – Przepraszam cię, Sekretarz.

Beata ślizga się spojrzeniem po pomieszczeniu. W drzwiach przystaje; ma zgarbione plecy, parę godzin na siłowni pod okiem instruktora na pewno poprawiłoby jej wygląd, chce coś powiedzieć, ale Anna zabawnie wskazuje na słuchawkę w dłoni, jakby to wszystko tłumaczyło.

– Obiecuję, zobaczymy się w najbliższym czasie, na pesto! OK? – mówi i odwraca się w stronę okna, a za Beatą zamykają się drzwi. – Tak, już jestem. Przepraszam, słucham panią.

*

Anna nie czuje się dobrze. Codziennie rano zbiega po dwa stopnie w dół, osiem pięter, dwadzieścia dziewięć stopni razy osiem pięter, dwieście trzydzieści dwa stopnie i jeszcze dziesięć z parteru do drzwi wejściowych, i jeszcze trzy od drzwi wejściowych na szeroki podjazd do bloku.

Biega przez te wszystkie piętra codziennie rano i codziennie po południu, a jeśli gdzieś wychodzi wieczorem, to robi się tych stopni dwa razy więcej – dwieście trzydzieści dwa – razem z tymi do drzwi – razy dwa, to by było – czterysta sześćdziesiąt cztery, a są i takie dni, kiedy tych stopni robiło się tysiąc.

To było męczące – dawniej swobodnie mogła jeździć w górę i dół, ale od paru miesięcy już nie.

Janek śmiał się z niej. Ale on nie bał się wind, nie bał się wchodzić do małej ciasnej klatki, w której nic nie zależy od ciebie, Janek nie bał się – po prostu naciskał guzik w tej klatce, która w każdej chwili mogła spaść, mogła się urwać, polecieć w dół, mogła stanąć między piętrami na zawsze i nikt już nikogo by nie uratował, bo jak takie małe pomieszczenie stanie gdzieś, gdzie nie ma wyjścia, i liny się zerwą, to Janek się nie dusił, nie brakowało mu powietrza, jego serce było spokojne, sześćdziesiąt albo siedemdziesiąt uderzeń na minutę, a jej serce dzieliło się natychmiast i pączkowało na dwa albo trzy serca, które biły jednocześnie bardzo szybko, wpadając sobie nawzajem w rytm, i wtedy płuca przestawały prawidłowo pracować i ciemniało jej przed oczyma.

Ten strach ona musiała zostawić sobie na później, na jazdę windą do biura.

Dlatego nie miała psa.

Bo pies potrzebuje nie tylko przytulania i głaskania. Pies musi wychodzić trzy razy dziennie na spacer. Musi biegać po trawie, a czasami szczekać radośnie, musi siusiać i trzeba uważać, żeby nie niszczył trawnika. Niedaleko jest park, chodziłaby z nim do parku. Ale ile razy dziennie można pokonywać na piechotę osiem pięter?

Schody są zdrowe, ale tysiące schodów z powodu psa przekraczają jej możliwości, wie to na pewno.

Zresztą, co to jest wyjście z psem trzy razy dziennie? A jeśli będzie potrzebował częściej? Mały szczeniaczek musi być na spacerze dużo częściej. Pies? Może kiedyś, później.

Dzisiejszy ranek był inny niż poprzednie. Tak samo stukała obcasami na całą klatkę. Nie może się spóźniać. Musi być punktualnie o ósmej na dole, u siebie. Dwadzieścia minut jazdy samochodem, parkowanie na podziemnym parkingu, drugi poziom, trzecie miejsce z prawej i duży jasny hol.

Co prawda wszyscy przychodzą nieco później, ale ona musi wjechać na swoje piętro wcześniej, dopóki winda nie zatrzymuje się w drodze na górę, żeby wziąć jeszcze kogoś z dwudziestego, dwudziestego piątego. Wtedy – tak wcześnie rano – windy jadą prawie bez zatrzymywania się do trzydziestego piętra, a kiedyś nawet udało jej się dojechać na trzydzieste trzecie.

Ale na ogół do dwudziestego. Wtedy wysiada, biegnie do schodów, wypuszcza zgniecione powietrze, z takim trudem przytrzymywane na siłę w jasnych bąbelkach płuc, bierze głęboki oddech, jej serce pomalutku zaczyna zwalniać do stu, potem osiemdziesięciu i siedemdziesięciu uderzeń na minutę i wtedy schodami przeciwpożarowymi idzie przez następne dziesięć minut na swoje czterdzieste drugie piętro. I już spokojnie, żeby się nie spocić, wyglądać tak, jakby się nic nie stało, jakby nie przeżywała codziennie z wyjątkiem sobót i niedziel tej koszmarnej udręki paru minut umierania, rozpadania się, pękania, roztrzaskiwania się na miliony drobnych kawałków, zamieniania się w nicość, w kupkę osobnych komórek, których nie jest w stanie ogarnąć, mimo że pracuje tak wysoko już siedem miesięcy.

Owszem, była u lekarza, daleko w innej dzielnicy, żeby się przypadkiem nikt nie dowiedział – może zwolniliby ją z pracy? A przecież tak bardzo walczyła o tę posadę, to otwiera zupełnie inne możliwości, to spełnienie marzeń o karierze, przecież nigdy się nie bała niczego, marzyła, żeby już nie pracować na tych niskich kondygnacjach, gdzie nic od ciebie nie zależy.

Ale parę miesięcy temu zaczęło jej robić się niedobrze, a wczoraj poczuła, jak lunch podchodzi powyżej żołądka i tam zaczyna się rozpierać na boki i do góry, i poczuła pieczenie między piersiami, tak jakby ostry kurczak curry chciał jej spalić nie tylko żołądek i jelita, ale również płuca, jakby stał się kwasem zdolnym rozpuścić jej serce.

No więc lekarz powiedział, żeby zajęła się przyczynami tego strachu. Że może to klaustrofobia, że gdyby sięgnęła w głąb siebie, oczywiście z pomocą psychoanalityka, być może...

Ale to nie była klaustrofobia, bo przecież kiedyś chodziła z Jankiem po jaskiniach. Choć czasami trochę się bała. Ale był to przyjemny strach, strach wynikający z niepewności, co za chwilę będzie, co zobaczy, czy są tu nietoperze?

Tylko że jaskinie nie jeżdżą w górę i dół, nie mogą nagle spaść, nie wdzierają się nad chmury, nie są ruchome. Więc to nie klaustrofobia, tylko normalnie fobia na windę, na windę, która unosi się lub opada razem z nią, niezależna od jej lęku, trzepotu jej serc i rozpadania się na tysiące kawałków.

Nie mogła to być klaustrofobia, bo okna w jej biurze nie otwierały się, a ona nie czuła się zamknięta i uduszona, mogła swobodnie oddychać. Tylko windy pozbawione były tlenu, ale pokoje nie, biura nie, łazienki nie, i nie bała się wysokości. Stawała przy oknie, była wyżej niż ptaki, niż chmury, była blisko nieba, najbliżej ze wszystkich, górowała nad miastem. W deszczowe dni miasto znikało, siedziała wśród chmur i nabrzmiałego od wilgoci powietrza, oddzielona od świata, mocna i niezależna.

Pracowała ciężko – po trzech miesiącach awans – i była ceniona; zawsze pracowała dłużej niż inni, dłużej niż większość ludzi, a było ich ładnych parę tysięcy, jeśli liczyć wszystkich pracowników, również tych, którzy pracowali w podziemiach.

Sekretarz była zachwycona – nie wiedziała, że Anna czeka, aż tłumy zjadą na dół, że czeka, aż opróżnią się kantory, aż sekretarki poukładają porządnie ostatnie faksy na biurkach, czeka, żeby samotnie, wstrzymując oddech, wejść do windy i modlić się przez te wszystkie piętra, żeby winda jechała, szybko jechała w dół, nie zatrzymywała się, żeby czas w windzie ścieśnił się dla niej, Anny, do paru chwil, a ona w tym czasie pilnowała swoich wszystkich serc, żeby nie wybiegły z krzykiem z ciała, żeby leżały ciasno poukładane jedne na drugich i biły tylko w narastającym rytmie, coraz szybciej.

Kiedy winda zatrzymywała się wreszcie na parterze i drzwi wolno wypuszczały ją w życie, obszerny hol zapraszał do oddychania, a ona w drodze na poziom dwa, do samochodu, uspokajała serca, które namnożyły się w drodze z czterdziestego drugiego, i łączyła je w jeden właściwy mięsień, pracujący równo – raz dwa – raz dwa – raz dwa...

Dzisiaj jest jej niedobrze. Bardzo niedobrze. Boli ją brzuch, może ten wczorajszy kurczak nie był świeży.

Anna wchodzi do łazienki. Duże lustro pokazuje wypielęgnowaną twarz z lekko podkrążonymi oczyma. Korektor nie pomógł, nawet w okularach, nie pomogły okulary, a przecież oprawki wyjątkowo starannie dobierała. Widać ciemniejsze sińce pod oczami.

Anna odsłoniła wertykale. Duszno, duszno, a przecież nigdy nie było jej tutaj duszno. Nagła myśl ją przeraziła. Nacisnęła guzik interkomu.

– Pani Jagodo, proszę do mnie na chwilę.

Siadła przy biurku, spojrzała w ekran laptopa. Dyskretne pukanie do drzwi i w drzwiach staje Jagoda.

– Proszę akta dwieście sześćdziesiąt osiem i dwieście dziewięćdziesiąt. I może kawę... bez cukru, śmietanka osobno...

– Bardzo proszę.

Ufff, zaraz kawa.

Dobrze, że nie musi czekać, nareszcie jest tak, jak być powinno. Cisza, spokój, na czterdziestym piętrze czas się liczy czterdzieści razy bardziej niż tam, niżej. Pani Jagoda była niezłym nabytkiem – zawsze na miejscu, żadnych kłopotów, polecenia wykonywała natychmiast, w każdej sprawie można było na nią liczyć. To bardzo ułatwiało pracę. Ile czasu zajmie jej zrobienie kawy i znalezienie akt? Minutę, dwie? Trzy?

Znowu ciche pukanie, a więc półtorej minuty. Dobry czas. Czas to pieniądz.

– Dziękuję. Pani Jagodo, przyszedł faks z Wiednia?

– Położyłam tutaj.

Anka przekłada papiery. Jest trochę zirytowana.

– Prosiłam, żeby do rąk własnych, od wczoraj czekam.

– Przepraszam.

– Jakieś telefony?

– Przekazywałam pani, że dwa razy dzwoniła pani mama.

– Teraz może mnie pani połączyć.

Anna obserwuje z tyłu postać sekretarki. Niby nie było w jej głosie nic, co by mogło zaniepokoić, ale... prosiła tyle razy, żeby faksy leżały po prawej stronie... Na miłość boską! Musi to powiedzieć.

– I pani Jagodo, wolałabym, żeby pani jednak dostosowała się do norm w naszej firmie. Nie nosimy odkrytych butów. I nie chciałabym być nieuprzejma, ale depilujemy nogi... Mam tu, zaraz... o, proszę...

Annie jest przykro, że musi zwracać uwagę sekretarce. Sama powinna o tym wiedzieć. Nie chce być za surowa, ale to niedopuszczalne, żeby tak wyglądać. Na pewno jest jej przykro.

Pani Jagoda patrzy na nią w milczeniu, ale taki jest los szefa, trzeba, trzeba wszystkiego pilnować. Można to zresztą szybko obrócić na korzyść, tylko jak?

Anna wyjmuje z szuflady wizytówkę i uśmiecha się do sekretarki.

– To mój zakład kosmetyczny, niech się pani tam zapisze. Do pani Marty! Ona jest najlepsza. Na koszt firmy! Wosk raz na jakiś czas to najpewniejsza metoda. Dziękuję za kawę, pani Jagodo!

Drzwi do gabinetu zamykają się bezszelestnie.

– Pani mama na linii.

To interkom.

– Dziękuję.

– Cześć, mamo! Dzwoniłaś? Wiem, ale naprawdę pracuję od świtu do nocy. Pani Marzena się nie sprawdza? Ach, do lekarza. Dobrze, przyślę ci taksówkę. Nie, nie mogę, naprawdę. W żaden sposób nie będę mogła się urwać. Pani Marzena z tobą pojedzie. Na badania też. Dobrze, zrób w MedCentrum, tam się nie czeka. Daj mi panią Marzenę. Pani Marzeno, badania proszę zamówić w MedCentrum, niech wszystko zrobią, będzie z głowy. Wiem, że to męczące. Oczywiście, dostanie pani podwójną dniówkę. I proszę mamie nie dawać słodyczy. Dobrze. I proszę dać mamę. Mamo, nie, nie możesz. Słuchaj, jak ty o siebie nie dbasz, to ja muszę. Kiedy to dla twojego dobra. Masz podwyższony cukier i dobrze, że chociaż ja o tym pamiętam. Nie wiem kiedy. Wylatuję do Wiednia w niedzielę. Odezwę się po powrocie. Pa, całuję, pa.

Anka odkłada słuchawkę, bierze głęboki oddech, wystukuje numer telefonu.

– Proszę przysłać do działu K, na nazwisko Jagoda Burm, test ciążowy, witaminy i dwa opakowania magnezu. Dziękuję.

Naciska guzik interkomu.

– Pani Jagodo, za chwilę będzie paczka omyłkowo zaadresowana do pani, proszę nie otwierać, to leki dla mojej matki, proszę odebrać i natychmiast mi doręczyć, dziękuję.

– Dobrze. Jest tu pan Jan Konic – odpowiada pani Jagoda.

Anna nie lubi i nigdy nie lubiła, kiedy przychodził bez zapowiedzi. Od czego są telefony?

– Niech wejdzie.

Jak ten Janek wygląda... W tym biurze jego sweter jest jeszcze bardziej nie na miejscu niż niewydepilowane nogi pani Jagody. I wszyscy wiedzą, że on przychodzi do niej. To trochę kompromitujące. Mężczyzna, który się nie rozwija, zatrzymał się na pewnym etapie i nawet tego nie widzi! Anna nadstawia policzek.

– Janku, co ty tu robisz? Przecież jesteśmy umówieni na jutro!

– Słuchaj, nie mam żadnej pewności, że jutro też nie odwołasz spotkania. Pogadajmy jak ludzie.

To miłe, że jemu w dalszym ciągu na niej zależy, choć chyba trochę nie pasują do siebie. Kiedyś, w przyszłości, trzeba będzie pomyśleć o stałym związku, ale teraz, kiedy otwarły się przed nią takie możliwości, trudno wymagać, żeby zamieniła się w kurę domową. Teraz, kiedy tyle spraw zależy tylko od niej! Kiedy może decydować, kiedy zaczyna zdobywać wpływy w firmie. I tyle dobrego można zrobić. Ale jednocześnie to miło mieć kogoś. Co prawda spotykają się coraz rzadziej, ale romans to zawsze coś lepszego niż szare życie. Dopóki im się to nie znudzi...

– Janku, to nie najlepszy moment... Naprawdę jutro...

– Przyjedź do mnie, proszę... Musimy ustalić, co dalej...

– Ustalić? Co?

Głos pani Jagody przez interkom brzmi cieplej niż bez aparatury:

– Pani Beata Daniluk na linii.

Anna wymija Janka, naciska guzik, wyćwiczony przepraszający uśmiech w jego stronę i słuchawka już przy uchu.

– Tak, tak, oczywiście, Beatko, zawsze do twojej dyspozycji... Nie, nie zapomniałam, ale wiesz, jak jest. Zawsze służę ci pomocą. Tak, podaj numer. – Anka nie sięga po długopis. Powtarza głośno: – Pięć, zero, cztery, kreska, dwa, jeden, dwa, kreska, sześćset siedemdziesiąt osiem, dwadzieścia dwa, kreska, łamane przez sto dziewięćdziesiąt pięć. OK. Znajdę i natychmiast oddzwonię. Pa, kochanie, teraz nie mogę rozmawiać.

Odkłada słuchawkę i odwraca się do Janka.

– Ustalić? Co ustalić?

– Nie zapisałaś tego numeru?

Dlaczego mężczyźni zawsze zmieniają temat? Co go to obchodzi? Czy w tej sprawie przyszedł?

– Nie muszę. Nic ważnego. Co chcesz ustalić?

– Odwlekasz od dawna decyzję. Czas mija. Nie widzisz tego? Nie chcę się z tobą umawiać w knajpach.

Ciepło, które pojawia się w okolicach brzucha, to jednak miłość. I jemu również na mnie zależy – myśli Anna – on mnie rozumie i ja go nie chcę stracić. Widzi szare, uważne oczy mężczyzny, który ją kocha, i mniej już ją drażni niebieski sweter, z którego ten mężczyzna prawie nie wychodzi.

– Dobrze. Przyjadę do ciebie wieczorem. Masz rację. Kocham cię.

– Jest pani Sekretarz – tym razem interkom zadźwięczał

głosem sekretarki wypranym z jakichkolwiek emocji, z ciepła także.

Anna prawie wypycha Janka za drzwi.

– Sam widzisz, co tu się dzieje. Do jutra, kochany, tęskniłam za tobą. Zostanę na noc.

Janek kręci głową.

– Nie wiem, co ja w tobie widzę!

– Ale ja wiem! Idź już, idź. – Otwiera drzwi na oścież, staje na palcach, ale już nie pocałuje mężczyzny. W drzwiach prawie zderza się z Sekretarz.

– Dzień dobry, pani Anno.

– Witam, serdecznie witam. Proszę siadać.

Sekretarz ma na sobie nieśmiertelny kostium w takim samym kolorze jak zawsze: jaśniejsze prążki na ciemnym, prawie granatowym tle.

– Na przełomie lipca i sierpnia zaczyna się szkolenie dla dyrektorów działów. Wytypowano panią. Trzy miesiące w Londynie. Co pani na to?

Anna nie wierzy własnym uszom.

– Za półtora miesiąca na trzy miesiące?

– Tak.

Sekretarz nie spuszcza z niej wzroku. Szkolenie w Londynie to już najwyższa szkoła jazdy.

– Jest pani bardzo dobra. Szkoda byłoby...

Jeszcze chwila, a propozycja zostanie cofnięta. Umiejętność szybkiego podejmowania decyzji – to to, czego oczekuje szef.

– Jadę.

– Szefowej bardzo spodobał się pani projekt zabezpieczeń. Są wycieki na poziomie...

– Działu C. Wiem. Ale kody dostępu zostały już zmienione, a informacje, które wychodzą ode mnie, są przecież konsultowane.

– Ten projekt sprawdza się w użyciu. Oszczędności poczynione przez firmę dzięki pani nowatorskiemu spojrzeniu sięgają... – Sekretarz sięga do teczki i podaje Annie zestawienie.

Anna zna to zestawienie, sama z ciekawości któregoś wieczoru policzyła. Ale cieszy ją, że góra również zechciała to sprawdzić. Rzuca okiem na papier.

– Proszę! Może pani być dumna. To pani dziecko. Przed wyjazdem do Londynu ma pani zamówione wizyty u Estée Lauder, w salonie Givenchy, od trzeciego do dwunastego wyjazd z lektorem angielskiego do Złotopar, kolacja z szefową trzynastego w Zajeździe Królewskim. No i najważniejsze... jeśli decyduje się pani na przedłużenie kontraktu...

Jaki kolor oczu ma Sekretarz?

– Ja już jestem zdecydowana – przerywa jej Anna.

– Oto kontrakt. – Sekretarz podaje jej dwie kopie nowej umowy o pracę. – Proszę spojrzeć na punkt D i F.

Anna szybko przerzuca stronę i uśmiecha się.

– Po powrocie z Londynu zostanie pani przeniesiona do działu M. Mieszkanie służbowe w chronionym osiedlu firmy. Samochód... to już pani wybór. Podpisuje pani?

Anna wiedziała, wiedziała, że cierpliwość i pracowitość w końcu zaowocują. Nie będzie ośmiu pięter dziennie dodatkowo pokonywać. Zamieszka na pierwszym, w strzeżonym osiedlu, nareszcie. Wszystko będzie prostsze. Może nawet zdecyduje się na psa?

Sekretarz podaje jej pióro. Anna nie musi się nawet cofać do biurka. Jej wzrok szybko przebiega przez kolejne strony nowego kontraktu. Firma potrafi docenić swoich pracowników.

Składa podpis. Wreszcie się doczekała! Sekretarz podaje jej rękę.

– Gratuluję, witam w zarządzie. – Znika za drzwiami.

Anna podchodzi do okna. Miasto z tej wysokości jest do ogarnięcia – to jej miasto; oddycha pełną piersią i cichutko mówi:

– Dokonałam tego, dokonałam!

Kiedy Jagoda położyła paczkę z apteki na biurku, Anna wzruszyła ramionami. Teraz siedzi i dziwi się własnym emocjom sprzed paru godzin. Nie czuje mdłości, ma nawet wrażenie, że wygląda dużo lepiej niż rano. Ale kiedy zapada zmierzch i zostaje sama – Jagoda przed wyjściem zadała nieśmiertelne pytanie: „Czy będę pani jeszcze potrzebna?", a Anna odprawiła ją ruchem ręki – paczka przyciąga ją. Anna wyłącza komputer i bierze test ciążowy do ręki.

Kiedy wychodzi z łazienki, ma spokojną twarz. Siada na biurku i wertuje notes.

– Doktor Panowski? – Jej głos jest obojętny. – Dzień dobry, panie doktorze, ja z takim małym kłopotem. Coś kiepsko się czuję... i test ciążowy jest dodatni. Ale ja wiem, że to niemożliwe, zupełnie nieprawdopodobne, przecież biorę tabletki. No, już chyba piąty rok. Nie, spirala nie... Ostatni? – Nie lubiła rozmawiać na tematy tak intymne przez telefon, ale doktor Panowski ją znał, wiedział, jak bardzo zajętą jest osobą. Otworzyła kalendarz i przewracała w nim kartki, dość nerwowo. Lepiej przez telefon odpowiadać na takie pytania, niż tracić cenny czas. – Bo ja wiem? Ze sześć tygodni temu – zdziwiła się. – Tak, sześć tygodni temu ostatni raz współżyłam... Dobrze, czy badanie krwi mogę zrobić od razu u pana? Nie mogę czekać! Wyjeżdżam. Kłopoty hormonalne? Niech mnie pan nie straszy. Dobrze. Będę jutro.

Miała nadzieję, że nikt nie zauważył, jak źle wygląda. Kupiła podkład odrobinę ciemniejszy niż zwykle – nawet solarium nie pomogło ukryć bladości twarzy – i dzisiaj wyjątkowo przeznaczyła więcej czasu niż zwykle na makijaż. Najgorsze te schody. Bo nie jest już w stanie w ogóle wejść do windy. To szaleństwo, ale nawet przestąpienie progu kabiny wywołuje panikę, ciało Anny po prostu wie, że winda się nie zatrzyma, uniesie ją do góry po to tylko, żeby potem opaść na dół ze straszliwym przyspieszeniem i wcisnąć w żelbetowe belki pod podłogą parteru.

Anna spakowała już wszystkie swoje rzeczy osobiste. Resztę zrobi pani Jagoda. Patrzy na swoje biuro i chce się uśmiechnąć, ale nagły skurcz brzucha zmusza ją do pochylenia się. Anna opada na fotel, podgina kolana do góry, powolutku rusza do łazienki. Patrzy w lustro i oddycha tak, jak się uczyła na kursach walki ze stresem: wdech przez nos, wydech ustami. Wstrzymać powietrze. Wdech, wydech.

Anna patrzy na swoje odbicie i zaczyna powoli mówić do siebie:

– Oddychać, głęboko oddychać, wszystko jest w porządku, ja jestem w porządku, jest świetnie, jest znakomicie, mogę mieć wszystko, co chcę, mogę być wszystkim, o czym pomyślę, czuję się dobrze, jestem silna i zdrowa.

Oddech powoli się uspokaja i Anna wraca do gabinetu. W samą porę. Przy biurku stoi pani Jagoda. Anna z przyjemnością zauważa, że nogi sekretarki są gładko ogolone.

– Przepraszam, pani mama na linii.

– Dziękuję. – Anna siada po raz ostatni w tym fotelu. – Mamo? Za moment jadę na lotnisko. Tak, od razu po przyjeździe zadzwonię. Natychmiast. Nic się nie martw. Pani Marzena będzie się tobą opiekować. Wiem, że miałam być wczoraj, ale wróciłam z pracy o wpół do jedenastej. Myślałam, że już śpisz. Oczywiście, że wyłączyłam telefon, bo inaczej pracowałabym również w nocy. Oj, mamo. Nie przesadzaj. To tylko trzy miesiące. Co ci przywieźć? Coś wymyślę. I obiecuję, że od razu z lotniska przyjadę do ciebie. Całuję, całuję.

Jakie to dziwne, żegnać się w taki sposób z miejscem, w którym spotkało ją tyle dobrego. Jeszcze tylko jeden telefon i można jechać.

– Janek! Kochanie, dzwonię jeszcze, żeby się pożegnać. Nie, nie mogłam wczoraj zostać na noc. Ale chociaż troszkę się poprzytulaliśmy... Kocham cię. Wszystko się zmieni po powrocie, obiecuję. Ostatni raz. To już naprawdę ostatni raz. Kocham cię. Prowadź się porządnie. Nie, nie rób sobie kłopotu, odwozi mnie kierowca. Co ci przywieźć? Siebie przecież tam nie zostawię! Siebie na pewno przywiozę! Pa, kochanie!

Trzy miesiące zlecą jak z bicza trzasł. Żeby tylko krwawienie ustało. Już tydzień. Lekarz co prawda powiedział, że to normalne, że byłoby dobrze, żeby poleżała po zabiegu, ale lekarze zawsze przesadzają. Dobrze, że nie powiedziała Jankowi. To by mogło zepsuć ich związek. Nie wiadomo, czyby zrozumiał. A za trzy miesiące wszystko się zmieni.

Teraz trzeba tylko poprosić kierowcę, żeby przyszedł po bagaż. A ona spokojnie schodami zejdzie na dół, nie spiesząc się. Wszyscy wiedzą, że ma taki obyczaj, że chodzi na piechotę, bo to dobrze robi na serce. Zresztą, nawet jeśli kiedyś się z niej wyśmiewali, to już na pewno tego nie robią. Już nie.

Naciska guzik interkomu.

– Pani Jagodo, proszę powiedzieć kierowcy, że jestem gotowa. Może przyjść po bagaż.

*

Anna czeka na Sekretarz, która zapowiedziała się na trzecią. Siedzi w wygodnym skórzanym fotelu i sączy kawę z małej przezroczystej filiżanki. Patrzy na swoje dłonie – nowy lakier lustrzany bardzo dobrze się prezentuje. Wystarczająco elegancko i wystarczająco dyskretnie. Jest z siebie zadowolona. Opłacało się dbać o kondycję. Numer ubrania zmniejszył się do wymaganego. Wizażystka nie zawsze doradzała najlepiej, ale tym razem Anna czuła, że dobór ubrań jest zgodny z jej psychicznym nastawieniem. Elegancja i wygoda w jednym.

Na widok Sekretarz podniosła się i ruszyła w jej kierunku. Mój Boże, tej kobiecie ktoś w końcu powinien doradzić, jak się ubrać! Anna ucałowała w powietrzu policzek Sekretarz.

– Jak miło znowu cię widzieć!

– Świetnie wyglądasz!

– A ty kiedy na urlop?

Sekretarz zmarszczyła śmiesznie brwi.

– Jeszcze nie teraz. Ale tobie wyjazd posłużył.

– No chyba! Ten szwajcarski ośrodek odnowy może człowieka zrujnować. No, z czym jesteś?

Sekretarz przycupnęła na jednym z foteli przy okrągłym stoliku.

– Słuchaj, mam taką niemiłą sprawę...

Anna nie lubi niemiłych spraw. Do niej nie powinny takie trafiać. Ale to znaczy, że ktoś na dole się nie sprawdza.

– Jak niemiłą, to nie chcę słuchać.

– Wiesz, sprawa przegrupowań.

Anna nacisnęła interkom.

– Ach, to załatwimy od ręki. Czego się napijesz?

– Kawa. Może z odrobiną koniaku. Zimno tu u ciebie.

– Lepiej za zimno niż za gorąco. Lepiej się konserwujemy w zimnie! Okna się nie otwierają, więc włączyłam na dwadzieścia. Dwie kawy z koniakiem, pani Basiu.

Anna siada wreszcie w fotelu naprzeciwko gościa. Sekretarz ma zmarszczki koło ust. Niedobrze. Lifting to obowiązek każdej kobiety w pewnym wieku. I zimno jej? Nie jest wcale zimno.

– Mogę podkręcić ogrzewanie, jeśli chcesz.

– To twój gabinet.

Anna uśmiecha się uprzejmie.

– I moi goście. No, mów, co tam.

Sekretarz rozkłada na kolanach papiery.

Dlaczego z każdym drobnym problemem muszą się do mnie zwracać, myśli Anna.

– Beata Daniluk z działu B nie chce popuścić w sprawie... wiesz, cztery jeden...

– Hermanowej? Przecież to już dawno załatwione.

– Byłoby załatwione, ale dział C nie chce tego przyjąć bez podpisu Danilukowej... A Danilukowa powołuje się na ciebie.

– Na mnie? A cóż ja z tą sprawą mam wspólnego?

Pani Basia wchodzi bezszelestnie, tak wpasowana w to miejsce, jakby była przezroczysta. Na srebrnej tacce filiżanki z kawą i koniak. Anna kiwa głową. Pani Basia tak samo bezszelestnie znika.

Anna nalewa do kieliszków złotego płynu. Nieuchwytny zapach rozchodzi się po pokoju. Dłonie Anny otulają kieliszek. Trzeba odrobinę ogrzać, wtedy przyjemność picia zaczyna się tym ostrawym zapachem, zanim ciepło spłynie do żołądka. Delikatnie rusza kieliszkiem. Koniak faluje jak tłusta oliwa, zostawiając słaby ślad na szkle.

– Mówiła, że obiecałaś... Dawno bym to załatwiła, ale nie pozwoliłaś jej ruszyć... ma chore dziecko...

A Sekretarz znowu o tym samym. Nie wie, jak to się załatwia? Dlaczego mi zawraca głowę, mam milion innych spraw do załatwienia. Beata ma chore dziecko od lat. I dlatego tak się zaniedbuje w pracy. Znowu coś niezasłużenie na mnie spada. Odpowiedzialność za dobro firmy, na tym poziomie! – myśli Anna, a głośno mówi:

– Tym bardziej powinna uważać na to, co robi. No cóż, będziemy musieli ją zwolnić. Przygotuj co trzeba...

A jednak można na nią liczyć. Przed Anną na stoliku pojawia się pismo.

– Przygotowałam. Podpiszesz?

– W tej sytuacji? Niestety, nie mam wyjścia... Daj. „Zgodnie z... zwolniliśmy... czekamy... kwota...". Dobrze.

– Ręka Anny zawisa w powietrzu. Zaraz, zaraz, a właściwie dlaczego ona ma to robić? Przecież od tego jest Sekretarz. – Podpisz ty.

Sekretarz posłusznie bierze wieczne pióro do ręki.

– No to Hermanową mamy z głowy. Zapłacimy jej czterdzieści tysięcy.

– Jeśli jej zapłacimy, to będziemy musieli zapłacić również następnym. – Anna nie jest zadowolona.

Trzeba patrzeć perspektywicznie. Na tym właśnie polega władza i dlatego niektórzy się do niej nie nadają. Trzeba brać na siebie ten ciężar i trzeba to robić mądrze. Ona, Anna, to potrafi.

– Obiecałam...

– Wejdą nam wtedy wszystkie sprawy na cztery jeden...

Anna odstawia kieliszek. Kto jak kto, ale Sekretarz powinna o tym wiedzieć, a jeśli nie wie, to tym lepiej, że Anna może jej to powiedzieć.

– Mamy już zmienione przepisy. Zmieniony główny program. Nie możemy rozdrabniać się na takie resztówki. Przecież z tych pieniędzy jest finansowany rządowy program pomocy! O ile pamiętam, ten jej syn był pijany, tak?

– Istnieją pewne przesłanki...

– Kończymy sprawę Hermanowej. Zaproponuję jej ugodę.

– No i w dziale D też nie najlepiej. Przeciekają nam informacje.

– Masz kogoś na to miejsce?

– Tak. Młoda, ambitna. Bezdzietna. Nadaje się.

– No. Sama wiesz, co robić. Kłopot z głowy. Coś jeszcze?

– Mam twoją zgodę?

– Słuchaj, trzeba patrzeć na wszystko perspektywicznie. Wszystko ma określone miejsce i czas. Wszystko musi działać jak należy.

– Daniluk jest zapisana do ciebie od trzech miesięcy. Mówi, że się z tobą przyjaźni...

– Przyjaźni, przyjaźni. – Jak często ludzie nadużywają tego słowa! Anna tego nie lubi, to egzaltacja. – Po prostu kiedyś razem pracowałyśmy i tyle. Ale kto nie idzie do przodu, ten się cofa.

Sekretarz podnosi kieliszek.

– W porządku. Pójdziemy na kolację w piątek?

Anna podnosi się. Koniec audiencji.

– Z przyjemnością. Zarezerwuj stolik w Zajeździe.

– A jak mama?

– Świetnie!

– No to wspaniale. Lecę. Prezes czeka.

Anna docenia stopień zażyłości między nimi, ale musi przywołać Sekretarz do porządku. Patrzy na wymówienie dla

Beaty. Ona, Anna, nie powinna brać w tym udziału, nie powinna w ogóle o tym wiedzieć.

– Słuchaj, czymś takim na drugi raz nie zawracaj mi głowy. Masz moje pełnomocnictwo w takich sprawach.

– Zrobiłabym to, ale sama rozumiesz... przyjaźń jest przyjaźń... To do piątku.

– Do piątku.

– Jak mogłaś!

Beata stoi przed Anną. Anna nie poznałaby jej na ulicy, tak bardzo Beata się zmieniła. Sekretarka ma przerażone oczy, jest gotowa do wydzwonienia ochrony, Beacie musiały puścić nerwy, żeby wdzierać się siłą do tego gabinetu, musi być zdesperowana, ale Anna daje znak sekretarce, żeby zostawiła je same. Jeśli nie poradzi sobie z taką sprawą, to jak poprowadzi firmę? Ale swoją drogą trzeba będzie pomyśleć o sekretarce, która nie dopuści do takich sytuacji.

Anna zamyka drzwi za sekretarką. Patrzy na dawną koleżankę.

– Jak mogłaś... – Głos Beaty załamuje się.

– Beatko, nie unoś się. Proszę, siadaj. Napijesz się czegoś? I przede wszystkim, co się stało? Jesteś wzburzona!

Dłonie Beaty, dłonie o krótkich paznokciach zaciskają się. Anna nie przypomina sobie, żeby widziała Beatę w takim stanie. No właśnie, i tak ludzie, którzy nie potrafią okiełznać własnych uczuć, stają się bezużyteczni.

– Wzburzona? Jak mogłaś mi to zrobić! – Beata prawie płacze.

Anna wie, że trzeba zachować spokój. Dlatego jest tym, kim jest.

– Zaraz wyjaśnimy to nieporozumienie. Spokojnie. Siadaj i powiedz mi o wszystkim od początku.

Beata ciężko pada na fotel. Wygląda na nim tak niestosownie, że Anna ma ochotę się roześmiać, ale przybiera stosowny do okoliczności wyraz twarzy. Słucha. Pierwsza rzecz to dać się wypowiedzieć. Człowiek upuszcza trochę pary, można nim wtedy kierować.

– Czy ja się gdziekolwiek pchałam? Czy ja coś robiłam nie tak? Nawet nie brałam zwolnień na dziecko! Całe życie pracowałam uczciwie. Ty! Moja przyjaciółka, zwalniasz mnie z dnia na dzień?

Beata zaczyna chlipać. Niezbyt ładnie to wygląda, na płacz może pozwolić sobie blondynka, i to młoda, brunetce natychmiast czerwienieje nos i policzki, wygląda to dość żałośnie.

– Zwalniam? – Zdumienie w głosie Anny brzmi szczerze. – Nie rozumiem, o czym mówisz.

Beata wierzchem dłoni wyciera twarz, drugą ręką podaje Annie wymówienie. Anna z uwagą studiuje papier, musi wypaść wiarygodnie, zaczyna głośno czytać:

– „Uprzejmie przepraszamy za niedociągnięcia naszych pracowników. Asystent Daniluk, zajmująca się pani sprawą, została zwolniona w trybie dyscyplinarnym za niesubordynację i niewywiązywanie się ze swoich obowiązków służbowych. W wyniku jej pomyłki należna pani kwota trafiła do...” tralala, „wraz z odsetkami zostanie natychmiast...”. Beatka, to jakieś nieporozumienie. Tu nawet nie ma mojego podpisu. Poczekaj chwilkę. Co pijesz?

Twarz Beaty zmienia się w mgnieniu oka.

– Herbatę. Takie pismo miała dostać Hermanowa – tłumaczy nieporadnie. – A przecież miałyśmy wszystko zmienić... wszystko... Szczególnie ty... teraz... gdy masz możliwości.

Anna podnosi się i wzywa sekretarkę.

– Poproszę herbatę i kawę. I jakieś ciastka. I może kieliszek koniaku. Dziękuję. Poczekaj sekundkę – mówi do Beaty – wracam za moment.

W łazience głęboko oddycha. Nie jest jeszcze doskonała. Mówi do siebie raz, drugi, trzeci:

– Jesteś wspaniałym szefem, jesteś najlepszym szefem, wszystkie twoje decyzje są słuszne i służą rozwojowi firmy. Jesteś dobra, pogodna i piękna. Wdech, wydech, wdech, wydech, jesteś wspaniałym szefem, dla dobra firmy...

Kiedy wraca do gabinetu, Beata już nie płacze. Anna siada koło niej i bierze ją za rękę.

– Jak mogłaś choć przez chwilę myśleć, że o tym wiedziałam? To Sekretarz. Jej podpis. Nawet mnie o tym nie uprzedziła, żebym nie mogła się sprzeciwić. Bardzo niedobrze. Ale ja na to nie pozwolę. Nie pozwolę. Poczekaj chwilę.

To musi wyglądać przekonująco. Anna wychodzi do sekretariatu, zamyka za sobą drzwi i mówi cicho do sekretarki.

– Za chwilę zadzwonię i poproszę, żeby mnie pani połączyła z Sekretarz. Proszę mnie nie łączyć.

Bierze przygotowaną tacę, a sekretarka patrzy zdziwiona. To ona jest od tego, ale Anna wie, że takie drobne gesty budzą zaufanie. I jak dobrze, że sekretarka nie zapomniała o ciasteczkach.

– Beatko, uspokój się, zaraz wszystko wyjaśnimy... – Dłonie Anny podają Beacie filiżankę z gorącą herbatą. To ważne, żeby zrobić to osobiście, żeby wiedziała, jaka jest ważna. – Napij się odrobinę koniaku, to ci dobrze zrobi...

– Te wszystkie dane, które miały się przydać ludziom... – Beata nie rezygnuje.

– Beatko, jakie dane? Teraz wszystko jest pod kontrolą! Moją! Ja przecież nie chcę cię skrzywdzić! Przecież pracowałyśmy razem, przyjaźnimy się i to jest najważniejsze. W tej chwili zadzwonię do Sekretarz.

Czas na przedstawienie. Anna podnosi się i ostro mówi do interkomu:

– Proszę mnie połączyć z Sekretarz. – Ukradkiem patrzy na Beatę, to musiało jej zaimponować. Anna podnosi słuchawkę, jej głos staje się ostrzejszy. – Halo! Pani Sekretarz? Jest u mnie w tej chwili Beata Daniluk z działu C. Co to za historia z tym wymówieniem? Ja nie wyrażałam na to zgody! Dlaczego nikt mnie nie powiadomił o sprawie? Dlaczego coś się dzieje za moimi plecami? Nie życzę sobie podobnych posunięć w przyszłości. Absolutnie nie zgadzam się. Oczywiście, że zostaje w pracy. Nowa osoba? W takim razie proszę... Dobrze... zdecyduję sama.

Kiedy Anna odwraca się w stronę foteli, już wie, że zwyciężyła. W oczach Beaty pojawia się błysk nadziei. Patrzy na nią tak jak kiedyś.

– Więc jednak to nieprawda... A przecież muszą cię o wszystkim informować.

Anna sięga po filiżankę i ma nadzieję, że jej słowa zabrzmią prosto i jasno. Nadaje im osobliwą barwę lekkiego smutku.

– Widać nie o wszystkim. Dobrze. Skoro już jest nowa osoba na twoje miejsce, biorę cię do działu K. Wyższa pensja, lepsze warunki. Już dawno chciałam to zrobić, tylko nie było czasu.

– Ale to nie jest praca z ludźmi... Ja nie wiem...

– Poradzisz sobie. Na pewno. Wiem, że w pracy z ludźmi jesteś znakomita, ale przydasz się w programowaniu. Twoje możliwości... pomysły... są na wagę złota. Tak. No, nie maż się.

Beata patrzy na nią z wdzięcznością. Tak się zdobywa nowych ludzi – jedną ręką głaszczesz, drugą karcisz.

– Przepraszam, myślałam, że o wszystkim wiesz....

– Nigdy bym tego nic zrobiła. Znasz mnic przccicż.

– Wiesz, tyle się zmieniło od naszego ostatniego spotkania...

– Mało jestem w firmie. – Anna wzdycha. – Głównie siedzę za granicą. Stworzyliśmy nową fundację. No i stąd to nieporozumienie. Wszystko w porządku? Widzisz? Jak Julka?

– Pamiętasz, jak ma na imię? – Beata rozjaśnia się.

Gdyby nie ten czerwony nos...

– Beatko, no co ty...

– A ten twój Janek? Jesteście razem? – ośmiela się zapytać Beata.

I to jest właśnie niebezpieczne. Ludzie zbyt szybko uznają, że mogą się z tobą bratać.

– Janek? Tak, wszystko w porządku... Świetnie...

– To dobrze. Dobrze jest mieć kogoś... kogo kochasz.

– Tak. Napijesz się jeszcze?

– Dziękuję ci, dziękuję. Ale wiesz, próbowałam się z tobą spotkać i takie terminy...

– Wyjeżdżam. Dużo wyjeżdżam. No, ale dobrze, że wszystko sobie wyjaśniłyśmy. A kopię, która miała iść do Hermanowej, zatrzymam, jeśli pozwolisz. Już ja sobie porozmawiam z Sekretarz. Możesz mi to zostawić?

To ważne – pytać o rzeczy nieistotne, tak jakby decyzja zależała od petenta.

– Oczywiście. Teraz przecież jest niepotrzebna. – Beata uśmiecha się przez resztki łez.

Anna również rozciąga w uśmiechu usta. Koniak jest dobry, rozgrzewa, a ona jutro wyjeżdża i nie musi się zajmować niczym, co tu zostawi. To przyjemne. Cała przyjemność w tym, że można robić rzeczy ważne.

Sekretarz patrzy na Annę nie tak jak powinna. Anna to czuje.

– Przyjęłaś Beatę Daniluk do działu K?

– Posunięcie taktyczne. Jedną ręką karz, drugą pomagaj. Będą cię bardziej kochać. Powiedziałam, że to ty ją zwolniłaś, a ja jej pomogłam. Wiem o wszystkim, co wychodzi z działu K.

– Naprawdę, godne podziwu.

Sekretarz nie powinna tak szybko wyrażać swojego zdania, myśli Anna, a głośno mówi:

– Trzeba odrobinę rozumieć ludzi. Teraz, nawet gdyby chciała puścić informację na zewnątrz, zastanowi się dwa razy. A idę o zakład, że nie zrobi tego, żeby nam nie zaszkodzić.

– Tobie. Żeby tobie nie zaszkodzić.

– Ja to firma. Na jedno wychodzi.

– Ale załatwisz z Hermanową?

Anna wydyma wargi. Doprawdy, że też ona musi kończyć tę sprawę!

– Taki ziąb...

Pani Hermanowa nie zmieniła się ani odrobinę. Anna przywołuje na twarz uśmiech.

– Ziąb. Proszę, tu jest kawa. Na pewno pani dobrze zrobi. Tym bardziej że mam dla pani niespodziankę. Sprawa w końcu znalazła swój finał...

Oczy Hermanowej wpijają się w oczy Anny i Anna wytrzymuje to spojrzenie.

– Och, droga pani, droga pani...

– Dostanie pani... trzydzieści tysięcy...

Hermanowa szepcze coś pod nosem, wznosi oczy do nieba. Komu ona dziękuje? Przecież Anna siedzi przed nią.

– Wiedziałam, że mój synek jest niewinny! Ale... Trzydzieści? – Hermanowa drżącą ręką odkłada filiżankę, filiżanka dzwoni niepokojąco o spodek. – Był ubezpieczony na sto...

Anna wstaje i odwraca się od niej. Spokojny, niski głos musi przekonać panią Hermanową.

– Przez te wszystkie lata starałam się pani pomóc... Jak mogłam. Tylko dzięki temu, że tu jestem, mogłam cokolwiek załatwić...

– Ja tego nie wezmę! Pani Beata...

Anna kieruje się w stronę biurka, bierze wydruk i podsuwa pani Hermanowej.

Hermanowa odkłada kartkę prosto na filiżankę, otwiera torebkę i czegoś metodycznie szuka. W końcu znajduje okulary, przeciera je rąbkiem spódnicy, nakłada i ponownie bierze do ręki pismo. Anna przygląda jej się spod zmrużonych powiek.

– Nie chciałam... – Głos Anny jest pełen współczucia. – Chciałam tego pani oszczędzić. Ale zmusza mnie pani... Sprawa właśnie dlatego ciągnęła się tak długo. Pani Daniluk, proszę, zwolniona za przetrzymanie pieniędzy. Proszę bardzo... A nasz biegły jednak stwierdził ślad alkoholu, proszę, tu jest orzeczenie. Zatrzymałam tę informację dla siebie.

– Jakże to tak? To przecież nieprawda! Jakże to tak?! – Głos Hermanowej dźwięczy w uszach Anny niepokojąco.

– Prawda, prawda jest na papierze i tylko taka się liczy. Ja nie miałam pojęcia, że ta sprawa jest jeszcze nie załatwiona. Oczywiście, jeśli pani chce, może pani występować na drogę sądową, ale wie pani, wygrać z taką firmą... W trosce o pani dobro nie radziłabym... Ale ponieważ pani los leży mi na sercu, podwyższę tę kwotę do, powiedzmy, czterdziestu tysięcy. Więcej nawet ja nie mogę zrobić. Podpisze pani?

Hermanowa jest tylko zdziwiona, jest jednym wielkim zdziwieniem – to zdziwienie dotyka Annę, nie spodziewała się zdziwienia, raczej złości, na tę jest zawsze przygotowana, ale zdziwienie?

– Przecież jeśli podpiszę, to tak jakbym się zgadzała, że Staś pił, że z jego winy, a tu o jego honor chodzi, proszę pani...

Anna kładzie rękę na ramieniu Hermanowej. Pod jej dotknięciem kobieta się kurczy, a przecież Anna chciała jej tylko dodać otuchy, to wszystko.

– Rozumiem panią. Ja panią rozumiem. Ale czy zrozumie sąd? Czy pani wie, że opłata sądowa od sumy, na którą był ubezpieczony syn, wyniesie dziesięć tysięcy? I jeśli pani przegra... A przed sądem nie będę mogła zataić orzeczenia biegłego. Pani Hermanowa, lepiej, żeby ta historia nie ujrzała światła dziennego. *De mortuis nil nisi bene...*

Hermanowa kieruje na nią nieprzytomne spojrzenie.

– Słucham?

– O zmarłych dobrze lub nic. Niechże pani podpisze.

Hermanowa patrzy na nią z uwagą, sięga po długopis do swojej torby, nie patrząc na wyciągniętą dłoń Anny z przygotowanym piórem. Podpisuje się długo i wyraźnie. Każda literka jak wykaligrafowana. W końcu chowa nieszczęsne dokumenty do chropawej szarej teczki.

Anna nie puści jej tak, o nie, trzeba coś dla niej zrobić. Podchodzi do biurka, wyjmuje z własnej plastikowej teczki dokumenty, kładzie je po lewej stronie biurka, ta teczka przynajmniej jest porządna, błyszcząca, ma gumkę z dwóch stron. Anna bierze z rąk klientki jej dokumenty, wkłada je do swojej teczki i podaje ją pani Hermanowej.

Szarą papierową trzyma w rękach, nie wie, co z nią zrobić, żal wyrzucić, taką samą chyba miał ojciec, chował w niej jakieś szpargały, ale nie pamięta już jakie.

Pani Hermanowa podnosi się i kieruje do drzwi. Nie zadaje sobie nawet trudu, żeby być uprzejmą, po prostu obciąga spódnicę, o, już kładzie rękę na klamce. Anna podnosi się, czeka. Suchy głos pani Hermanowej brzmi obco, kiedy pyta:

– Winda jest, zdaje się, na prawo?

*

Anna wpatruje się w grafikę Modre'a. Sama podpisała rachunek. Wysoki. Trzecia odbitka. Ale grafika ją zauroczyła jeszcze w Wiedniu. Pięknie komponuje się z lekkim beżem ścian. I biała skóra trzech kanap – dobre, Anna jest zadowolona z nowego gabinetu. Ten pierwszy dzień... od nie wiadomo kiedy... od kiedy, nie pamięta, a pamięta wszystko... Mogła po raz pierwszy wejść do windy, tak jakby zapomniała, że jej ciało odmawia w windzie posłuszeństwa. I wjechała tutaj bez problemu. Jakie to śmieszne, że tyle czasu chodziła na piechotę, prawie trzy kwadranse ostatnio jej to zajmowało. To po prostu zabawne. A dzisiaj znowu wszystko jest w porządku.

Trochę boli kark, masaże nie pomogły tak jak zwykle, musi zmienić masażystę albo rzeczywiście spróbować jakichś niekonwencjonalnych metod leczenia.

Jest tak wcześnie.

Wszystko pozałatwiane.

Nie ma zaległych spraw.

Można nareszcie odpocząć.

Można nareszcie zadzwonić do matki. Anna uśmiecha się. Tak, może z nią spokojnie zamienić kilka zdań.

– Pani Grażyno, proszę mnie połączyć z zakładem opieki Złota Jesień.

Jest połączenie.

– Dzień dobry, dyrektorze. Przecież płacę kwartalnie, przelew poszedł dwa tygodnie temu... Wiem, wiem... Gorzej się czuje, no, ale cóż, taka choroba. Proszę pana, gdybym ja miała czas, tobym nie miała pieniędzy na pana zakład, prawda? Dobrze. Przyjadę... powiedzmy w przyszły weekend... Oj, nie, przepraszam, lecę do Paryża... Na pewno. Oczywiście, że zatrudnię dla niej rehabilitanta. Proszę to włączyć do rachunku... Nie, nie, proszę jej nie budzić. Dziękuję panu.

Co ten dzień taki długi? I nic się nie dzieje... To takie nużące.

Może pani Grażyna o czymś zapomniała. Anna kręci się w kółko na fotelu. Pomalowane na żółto ściany i zdobiące je obrazy z dwudziestolecia międzywojennego zlewają się w jedną plamę. Anna zatrzymuje fotel, fajnie jej się kręci w głowie, jak kiedyś. Naciska guzik interkomu.

– Były do mnie jakieś telefony?

– Nie, proszę pani.

– Dziękuję.

Odwraca się z fotelem do okna. Znowu ładny dzień. I długi.

Ręka Anny ponownie wędruje do białego przycisku. Anna skupia na niej wzrok – co się dzieje? Te brązowe plamy, których wcześniej nie zauważyła, tak nagle wyskoczyły na dłoniach? To już nie są ładne ręce, czyżby nie służyły im kąpiele w olejku cytrynowym, który specjalnie sprowadziła z Grecji? Jak to się stało, że nie zauważyła?

– Proszę wezwać Sekretarz – mówi Anna do telefonu i niemal czuje chropowatość swojego głosu. Może jest zaziębiona, a może coś jej zaszkodziło.

Sekretarz pojawia się w drzwiach jak duch. Niezwykle się zestarzała. Nie farbuje włosów i może dlatego wygląda, jak... Annie trudno znaleźć odpowiednie porównanie. To przykre, co czas robi z kobietą.

– Co jest wyżej? – pyta Anna.

– Już nic.

– Nie mogę dostać się do plików. Chciałam przynajmniej zobaczyć, czym się zajmujecie.

– Hasłami zajmuje się dział W.

– Jakieś szkolenia, wyjazdy?

– Pani Prezes ma najwyższe kwalifikacje. Wyjazdy organizuje dział Z. Pani była na wszystkich.

Anna jest znudzona. Te płaskie odpowiedzi – nic w nich ciekawego, nic oryginalnego.

– Więc co mam robić w firmie?

– Pani i firma to jedno. – Głos Sekretarz jest spokojny. – Ma pani czas. Teraz ma pani czas.

Tak, to prawda, teraz jest czas na wszystko.

Anna odsyła Sekretarz ruchem ręki. A potem naciska guzik interkomu. Porozmawia z matką, ot co, teraz nic jej nie przeszkodzi.

– Proszę połączyć mnie z matką.

– Ale pani Prezes, przecież...

Annie złość podchodzi do gardła.

– Nie słyszała pani? Proszę mnie połączyć z zakładem Złota Jesień! Chcę rozmawiać z matką!

– Ale przecież pani mama... pani mama...

Za bardzo rozpuściła personel, tylko tak to można wytłumaczyć.

– Co z matką? – Stara się, żeby emocje znowu nie wzięły góry. – Połączy mnie pani czy mam sama dzwonić?

– Przecież pani mama nie żyje od... w kwietniu minie dziewięć lat... Czy pani się dobrze czuje, Pani Prezes?

Anna oddycha ciężko; pomyliła się, no cóż, każdemu się zdarza... Nikt nie jest doskonały.

– Tak, tak, chodziło mi... Proszę mnie połączyć z Beatą Daniluk.

Milczenie po tamtej stronie interkomu jest trochę drażniące.

– Pracuje w dziale K! – ponagla sekretarkę.

– Zwolniła się trzydziestego września tysiąc dziewięćset dziewięćdziesiątego piątego roku. Odeszła na własną prośbę. Nie mamy jej domowego numeru telefonu. Jeśli pani chce, mogę spróbować znaleźć.

Anna opiera dłonie o biurko.

– A telefon pana Jana Konica?

Co to? Oczekiwanie? To miłe uczucie, na coś czekać, nie czekała tak dawno, ten niepokój jest lepszy niż hazard. Sekretarka milczy, po chwili Anna słyszy:

– Chwileczkę, łączę.

Anna podnosi słuchawkę i słyszy:

– Dom pana Jana Konica na linii.

– Tak, słucham! – W słuchawce damski głos.

Anna jest zaskoczona. To prawdopodobnie pomyłka, słychać szczekanie psa, jakieś dzieci. Anna milczy, odgłosy są tak obce, że nie odkłada słuchawki, wytęża zmysły.

– Uspokójcie się w tej chwili, bo nic nie słyszę! Wojtek, zostaw Karolinę, nie wytrzymam z wami ani chwili dłużej! Karolina, weź psa do przedpokoju... Słucham!

Anna odzyskuje mowę.

– Czy mogłabym rozmawiać z panem Janem Konicem?

– Przepraszam, nie słyszę! Karolina, powiedziałam, weź tego psa! Proszę pani, męża nie ma, będzie jutro, czy coś powtórzyć?

Anna znów milczy, ale słuchawkę trzyma mocno. Niech ta kobieta jeszcze mówi, bardzo proszę.

– Halo, słyszy mnie pani? Czy mam coś przekazać? Halo!

To ona odkłada słuchawkę, nie Anna. Anna wie, jak się zachować. Nigdy by sobie nie pozwoliła na rzucenie słuchawką. No cóż, sam wybrał. Kobietę, która na pewno pasuje do jego swetra.

Trzeba zrobić plan pracy na jutro.

Przypomnieć sobie, o czym zapomniała.

O czymś ważnym.

Zapomniała o czymś ważnym.

Musi się skupić.

Już wie.

Zamówić czajniki do wszystkich działów.

Bo świat można zmienić tylko małymi ruchami, od tego, co najbliżej.

Trzeba natychmiast wezwać Sekretarz. Te czajniki powinny być jutro w każdym dziale. Nie, nie Sekretarz, ona przecież nie może zajmować się takimi sprawami. Pani Basia zaraz napisze zlecenie. Pani Basia, czy pani Marzena? Anna kręci się na fotelu. Ma czas, może się skupić. Co jeszcze? Żółć ścian, niedobry kolor, za agresywny, i zupełnie nie pasuje do niego malarstwo dwudziestolecia międzywojennego; trzeba poprosić panią Marzenę... nie, nie Marzenę, Jagodę... o co poprosić? Ach tak, żeby nie chodziła w odkrytych butach, tak duszno w tym pokoju, znowu wysiadła klimatyzacja, trzeba otworzyć okno, ściany wymagają malowania, i ta grafika, za ostra... i trzeba zwrócić uwagę ogrodnikowi, że bambusy marnieją, żółkną. Dlaczego Jagoda nie podlała tego fikusa? Co tu robi drugie biurko? Chyba powinno być jedno, zresztą, jak wróci Jedmin z urlopu macierzyńskiego, to i tak trzeba będzie dostawić... Nie ma czym oddychać, jednak otworzy okno, mimo że pada... Psiakrew, te biurka, znowu jakaś drzazga, te spódnice z indyjskiego sklepu tak łatwo się zaciągają, taka delikatna ta bawełna... To wszystko przez to, że tak szybko wstała.

– Proszę pań, ja naprawdę nie mam czasu! – ponagla Sekretarz. A jakim wzrokiem patrzy na jej spódnicę! A przecież spódnica jest ładna, czarno-fioletowa z wszytymi lusterkami, z przeceny, taka, jakie Anka lubi, szeroka, prawie do ziemi.

I Anka podejmuje decyzję.

– Bardzo mi przykro, w tym terminie nie mogę. Jestem na urlopie.

– Widzę, że macie panie kłopot z decyzją, czekam do dziesiątej rano jutro.

Za Sekretarz zamykają się drzwi.

Beata patrzy na Ankę z lekkim zdziwieniem. Czemu się dziwi? Przecież w sobotę ma się wprowadzić Janek. Trzeba uprzątnąć mieszkanie, wszystko przenieść, zrobić miejsce, jest już zamówiony samochód. I tak będzie kłopot z pianinem Janka.

Przed urlopem musi załatwić sprawę Hermanowej. Nie ma co odkładać do jutra.

I Anka podejmuje decyzję – sięga do szafki i wyjmuje dokumenty. Przerzuca papiery, na ostatnim pisze zamaszyście: *Do wypłaty* i podpisuje się. Pełnym imieniem i nazwiskiem. Anna Szafran.

Nie lubię kobiet

Doktorowi Stefanowi Karczmarewiczowi

Nie lubię kobiet.
To nie znaczy, żebym coś przeciw nim, ogólnie rzecz biorąc, miał. Nie. Ale im dalej w las, za przeproszeniem, tym gorzej. Histeryczne, niedopieszczone, niespokojne. Właściwie wszystkie przymiotniki zaczynające się od „nie" odnoszą się do nich po części i w szczególności. A poza tym nie są punktualne i nie umieją prowadzić samochodu. Zawsze, ale to zawsze muszę powtórzyć: W lewo! W lewo! – bo dla nich lewa to jest prawa, a prawa to jest lewa. I denerwują się z byle powodu. Nie spodziewam się po nich niczego dobrego, ot co. Oczywiście, specjalnej różnicy w życiu mi to nie robi, jestem samodzielnym, odłączonym od piersi matczynej mężczyzną i bez nich potrafię się znakomicie obejść.

I teraz jestem zadowolonym, radosnym, samotnym mężczyzną. Mogę robić, co chcę. Nikt mi nie będzie nic dyktował. Ani miał pretensji. Ani sprawiał, że poczuję się głupio.

Byłem do niedawna z kobietą.
Bardzo proszę – śliczna dziewczyna. Poderwałem ją (tak myślałem, dopóki się nie okazało, że to ona poderwała

mnie) w pracy u Daniela. Zaczęliśmy się spotykać, było uroczo, a potem – nie wiem kiedy – podobno to ja podjąłem decyzję, że zamieszkamy razem. I wtedy się zaczęło.

To znaczy, na początku było bardzo przyjemnie. Hanka jest, to znaczy była inteligentną kobietą, w końcu poznała się na mnie. Ale czasami inteligencja i poczucie humoru opuszczały ją nagle, jak ongiś wojska amerykańskie Kambodżę.

Ileż się nasłuchałem głupot: ale ja mam krzywe nogi, ale ja jestem za gruba, ale ja mam okrągłą twarz! Jakie to ma znaczenie? Zupełnie nie rozumiem. Nogi świetne, owszem pulchna, zwłaszcza jak mi zwróciła uwagę, to zauważyłem rozkoszne wałeczki na brzuszku, twarz niezbyt pociągła. No i dobrze. Ale jak tak stała przed lustrem i przewracała oczami, i stawała przodem, tyłem, bokiem, to zacząłem się zupełnie serio zastanawiać: co ona chce w tym lustrze zobaczyć? Lustro odbija tylko to, co się przed nim postawi, a ona kogoś lub czegoś szukała i szukała.

– No i jak wyglądam?

– Świetnie – mówię.

Bo wyglądała świetnie.

– Kłamiesz – mówi ona.

Milknę, bo nie kłamię, ale udowodnić nie mam jak. Idę do pokoju, włączam telewizor.

– Nie zależy ci na mnie, prawda?

Milczę i zastanawiam się. Przecież gdyby mi nie zależało, tobym z nią nie był, prawda? Po co głupio pyta? Ale wiem, że kobiety czekają na potwierdzenie, że cały czas o nich myślisz.

– Zależy – mruczę.

– No to jak wyglądam?

A mnie mróz po plecach idzie. Powiem: dobrze – to znaczy, że nie kocham, bo ona i tak wie lepiej, powiem: niedobrze – to nie wiadomo, co będzie, poza tym skłamię. Skłamię, a ona być może uwzględni moją szczerość. Ale jaka to szczerość, skoro to kłamstwo?

I po co tak kombinować, jak życie jest proste? Trzeba szybko znaleźć jakiś półśrodek.

– W czarnej mi się bardziej podobasz.

– Widzisz... wiedziałam. Od początku wiedziałam.

Nic takiego nie mówiłem od początku.

– To czemu kłamałeś?

Gwiazdki przed oczami. Kłamałem? I bądź tu mądry człowieku.

– No że mówiłeś, że ci się podobam.

– Bo mi się podobasz.

– Ale w czarnej bardziej.

– Tak – mówię odważnie. – W czarnej.

Idzie, przebiera się.

JA TEGO NIE ROZUMIEM!

Przychodzi w czarnej.

– Lepiej?

– Było dobrze – mruczę. – I jest dobrze.

– Tobie jest wszystko jedno, jak wyglądam. Ciebie w ogóle nie można zadowolić.

No i miły wieczór szlag trafił. U Krzyśka najpierw siedziała naburmuszona, a potem się rozjaśniła, jak ten palant Jacek zaczął ją obskakiwać.

A niech się bawi, proszę bardzo, przecież nie będę zazdrosny. Poza tym jest moja, wszyscy to wiedzą, to wyjdę na idiotę, jak się będę czepiał. Poszedłem za Krzyśkiem do kuchni, bo miał nowe „Twoje Auto", a rozgląda się za nowym wozem.

I kurczę, rzeczywiście, miał rację, bo moment obrotowy w nowym ganie jest prawie dwa i pół raza mniejszy niż w jego starym wozie. A moment obrotowy jest ważny – albo masz kopa, albo nie. Rozmowa się toczy, nareszcie jest o czym pogadać, wszedłem ze dwa razy do pokoju, w którym tańczyli, okiem rzuciłem, po północy wracamy do domu – obrażona.

– Słuchaj – mówię – to przecież ty się świetnie z Jackiem bawiłaś!

– Bo się w ogóle mną nie zajmowałeś!

– Bo widziałem, że się dobrze bawisz.

– Nawet nie byłeś zazdrosny!

No, tu już przesadziła, bo trudno chyba, żebym awanturował się o palanta, który każdą babę musi obskakiwać!

– O Jacka? – zdziwiłem się, bo przecież wiadomo, że kto jak kto, ale on się musi popisywać, przed kimkolwiek.

– O mnie! – prawie załkała.

– A mam powody? – Byłem tak zdumiony, jak wtedy, kiedy nasi dali ciała w pierwszym meczu na mistrzostwach.

– Nie odzywaj się do mnie!

Więc milczę. Ale z doświadczenia wiem, że nic dobrego z takiego milczenia nie wychodzi.

Tym razem jednak wyszło, bo rano przytula się do mnie i mówi:

– Nie mogłeś od razu powiedzieć, że jesteś zazdrosny? No już, nie gniewaj się, proszę...

A prosi ładnie, więc już nie prostuję, że gniew mi nawet nie przyszedł do głowy, tylko odnotowuję: ZAZDROŚĆ OKAZYWAĆ.

Parę dni było dobrze, ale niestety któregoś wieczoru usiadła przed komputerem i zaczęła sobie jeździć po Internecie. I znalazła.

Jakiś idiota napisał, że mężczyzna sześć razy na minutę myśli o seksie. Ona to przeczytała i spokoju nie miałem przez tydzień. Czy ja sześć razy na minutę też myślę o seksie? I czy z nią, czy tak sobie? Czy częściej, czy rzadziej? Czy w pracy też? Czy jak patrzę na jakąkolwiek dziewczynę, czy tylko taką, co mi ją przypomina?

Ludzie święci, w życiu nie myślałem tyle o seksie co w ciągu tego tygodnia. Nawet zacząłem myśleć, że jestem nienormalny.

Patrzę na asystentkę szefa i myślę: pomyśleć o seksie? Z nią, czy z kim innym? Czy ona mi się kojarzy? Jezu, nie kojarzy! Jaki ze mnie facet! I telefon:

– Misiu, myślałeś dzisiaj o seksie?

Nie myślałem, bo rano przecież zrobiliśmy przyjemny numerek, myślałem akurat wtedy o rozliczeniach kwartalnych, byłem trzy dni spóźniony.

– Oczywiście, kochanie, myślałem o tobie – mówię dyplomatycznie.

Dobra odpowiedź, jak się okazało.

No i siedzę nad rozliczeniami kwartalnymi i myślę o tym, dlaczego nie myślę o seksie, tylko o szefie, co mnie za dwie godziny opieprzy jak się patrzy.

I rzeczywiście, nie myliłem się.

Seks, seks i jeszcze raz seks. To kobietom się wszystko kojarzy!

Oglądasz sobie Eurosport. Skacze nasz, prawie sto trzydzieści metrów, to o czym ja mam myśleć? Aż podskoczyłem z radości. Jak utrzyma formę, mamy złoto. Otwieram piwo.

– Wam to się wszystko kojarzy – uśmiecha się Hanka.

Chryste Panie, nic mi się nie skojarzyło! A już najmniej sto trzydzieści metrów! Chory jestem czy co?

A ona siada mi na kolanach. Zasłania, psiakrew, ale jak jej powiem, że zasłania, to się obrazi. Obejmuję ją w pasie, i cholera, Niemiec skacze sto trzydzieści dwa i pół metra! Ona mi kładzie ręce na karku.

– Pójdziemy wcześniej spać?

Spać? Teraz? Jak nie wiadomo, kto weźmie złoto? No, chyba żarty sobie stroi.

– Chciałbym to zobaczyć – mówię poważnie.

– Okej – mówi ona, ale widzę, że głos z brzuszka, taki bardziej basowy.

– O co ci chodzi? – pytam. – To już nie mogę mistrzostw pooglądać?

– Oczywiście że możesz.

Przychodzę do łóżka, wiem, że nie śpi, obejmuję ją, usuwa się.

– Gorąco – mówi.

– Otworzyć okno? – pytam.

– Nie.

To się odwracam i zasypiam jak kamień, bo późno.

I rano abarot ta sama śpiewka:

– Bo ty mnie już nie kochasz.

I tak sobie myślę, że może rzeczywiście nie kocham? Jakby człowiek był sam, toby sobie w spokoju pooglądał sport czasem, a tak musi czekać, żeby kobieta gdzieś wyjechała, na jakieś wczasy z przyjaciółką albo co.

– Nie chcesz wyjechać z Gabrysią do Zakopanego? – pytam.

– Ale z tobą?

– No, nie – mówię. – Przecież nie mam urlopu.

– No, co ty? – Patrzy na mnie, a oczka ma prawie we łzach. – Bez ciebie? Nigdy.

O, psiakrew! To już gorzej. Nigdy???

– Nigdy? – pytam niewinnie, bo to może jakiś żarcik młodzieżowy.

– Nigdy – odpowiada poważnie i przytula się do mnie.

Jak się tak przytula, to owszem, wchodzę w średnią krajową, jeśli chodzi o seks, w każdym razie przez te trzydzieści sekund. Fajne ma cycuszki i ciepła taka. Czuję, że wódz budzi się również i też jest zdania, że cycuszki oparte o mój tors są prima sort. I z tym wyjazdem do Zakopanego to właściwie głupia historia, bo lepiej się zaraz walnąć do łóżka i trochę pofiglować.

– No, co ty? – mówi Hanka i odsuwa się ode mnie.

Wódz jest rozczarowany, ja też.

Nie rozumiem kobiet.

Najpierw się przytulają, prowokują, kuszą, wręcz jakby uzgadniają, że chodzi o seks, a potem jest „no co ty" albo „zwariowałeś?". Albo „o tej porze?". Albo „to poczekaj, pójdę do łazienki"... Albo „nie rób tak"...

Wiadomo, co człowiek robi, jak mu się akurat jego własnej kobiety cycuszki przytulają.

Ale czasem to jest zupełnie odwrotnie.

W czwartek przyszedłem zmęczony jak pies. Głowa mi pękała. Nawet piwo nie pomogło. Marzyłem o tym, żeby się położyć. Odprawa kierowników mnie wykończyła, szef się pieklił, moja sekretarka nie przyszła do pracy, drukarka przestała drukować, bo się toner skończył, w faksie nie było papieru, o czym nie wiedziałem, i trzy godziny się piekliłem, że nie dostaję danych itede, itede.

– Co się stało? – pyta.

– Nic – odpowiadam, bo nie mam ochoty przerabiać jeszcze raz tego cholernego dnia.

– Przecież widzę – mówi.

– Miałem fatalny dzień i nie chcę o tym mówić.

– Może się położysz?

Jem byle co, jest wpół do dziesiątej, leżę w wannie i czytam „Politykę", tam też niewesoło, walę się do wyra.

Przychodzi o jedenastej, kładzie się koło mnie i zaczyna mnie głaskać. Jak się mnie długo głaszcze, to i ochota na sen mi przechodzi. Ale słowo honoru, nie głaskała mnie aż tak długo.

Obracam się, przytulam ją do siebie, miło tak poleżeć, dobrze, że chociaż ten cholerny dzień dobrze się kończy... Prawie zasypiam, kiedy słyszę:

– Ale nie będziemy się kochać, dobrze? Tylko się poprzytulamy...

No i z głowy.

Czy to znaczy, że chce się kochać, czy wprost przeciwnie? Ja nie mam siły, jestem wykończony, bezpiecznie jest mówić prawdę.

– Dobrze, kochanie – mówię. – Jestem wykończony.

– Bardzo? – I dotyka mnie koło uszu, i czuję, że aż tak bardzo wykończony to jednak nie jestem.

– Śpijmy – mówię pojednawczo.

Bo przecież jeśli nie chce się kochać, to w porządku, ale jak mnie jeszcze troszkę pogigla, to zimny prysznic przed snem jak nic.

– Ale mogę się przytulić?

Ależ oczywiście, uwielbiam, jak się przytula.

Odwracam się, ona przytula się do moich pleców, zarzuca mi gołe udo na moje udo, ręką obejmuje mnie wpół, jej dłoń ląduje niebezpiecznie blisko wodza, ale leżę, chcę tylko spać.

– Nie pocałowałeś mnie na dobranoc. Dobranoc, misiu.

Odwracam się i całuję, usta wilgotne, pachnie miętą, koszulka mięciutka, piersi czuję jak żywe, o, już wódz da mi popalić, chcę z powrotem na brzuch, ona mnie przytrzymuje, to przyciągam tę pupę do siebie, a ona mówi:

– Przecież mieliśmy się tylko poprzytulać... Zresztą mam okres.

No i kurczę, ona zaraz zasypia, ja staram się przekonać wodza, żeby też zasnął. Może jak będę po siedemdziesiątce, to mi to łatwiej będzie szło. Komunikacja między mną a wodzem szwankuje.

No, a między mną i Hanką... Między nami w porządku, a ja czuję się lekko wydymany, mówiąc oględnie.

No i OK, lubiłem kobiety, a w szczególności Hankę, ale to się zmieniło. Jak można być z kimś, kto jest tak zupełnie nieobliczalnie rozmaity? Z każdej prostej sprawy zrobi rzecz tak skomplikowaną, że przy tym próba uzyskania Nobla z fizyki przez sześciolatka w klasie zerowej, nawet po reformie szkolnictwa, to betka.

Idziemy do jej przyjaciółki na urodziny. Nie przepadam, ale bardzo proszę, na kompromis mogę od czasu do czasu. Hanka z dziewczynami zamknęła się w kuchni, nie wpuszczają mężczyzn, oprócz jednego, brodatego narzeczonego pani domu.

Narzeczony – za chwilę widzę – obejmuje Hankę, wyciąga ją do pokoju, coś szepczą. Podchodzę grzecznie i mówię:

– Haniu, kochanie, dobrze się bawisz?

– Świetnie – mówi on.

– Nie pana pytam – mówię bardzo grzecznie. – Gdybym chciał z kimś porozmawiać, to bym coś do siebie powiedział, lubię bystrych.

Hanka czerwona, daje mi znaki, udaję, że nie zauważam, przecież wiem, o co chodzi. Brodacz roześmiał się i nie zdejmując ręki z Hanki ramienia, mówi do niej:

– Coś narzeczony zazdrosny?

– Niech pan weźmie tę rękę, Haniu, pozwól na chwilę – mówię, nie zwracając uwagi na to, że moje dziewczę oblane rumieńcem. Mam nadzieję, że jest zadowolona, bo strąca jego rękę, bierze moją rękę i wpycha mnie do łazienki.

Jak szybko podziałało. No proszę.

A w łazience odwraca się do mnie czerwona ze złości i syczy:

– Wstyd mi za ciebie, jak ty się zachowujesz, jak możesz robić taką przykrość Bartkowi, wiesz, że jesteśmy zaprzyjaźnieni, nie jestem twoją własnością, czy to znaczy, że nie masz do mnie zaufania, co ty sobie wyobrażasz, dlaczego się kompromitujesz przed moimi przyjaciółmi, za kogo ty mnie masz – i tak dalej, i tak dalej.

Wszystko z wykrzyknikami i pytajnikami.

Nie wiem, na które pytanie odpowiadać i czy w ogóle coś mówić. Milczę, ale zdziwko lekko mnie trzepnęło i wyciągam wniosek: ZAZDROŚCI NIE OKAZYWAĆ.

Parę dni spokojnych minęło, bez afer. Aż postanowiłem zmienić armaturę w zlewie. Hanka chciała taką z wężem, bo jej się leje nie tak, za nisko czy za wysoko – dobra, kupiłem, wymontowałem poprzednią, zrobi się. Czego się nie robi dla spokoju i dla ukochanej. W takiej kolejności, dodaję po zastanowieniu.

W sobotę miałem się za to wziąć, ale poszliśmy do kina. Niedziela nie jest znowu taka dobra na wymianę armatury, w poniedziałek przychodzę do domu, Hanka już jest, obiad na stole, ale ona prawie się nie odzywa.

– Coś się stało? – pytam grzecznie.

– Nie, skądże – mówi.

Jak się nic nie stało, to dobrze, nie chce gadać, to jej sprawa, nie zawsze człowiek ma ochotę pogadać.

– Pyszne – chwalę pierogi, bo pierogi robi znakomite.

Nie rozchmurza się.

– Jakie masz na dzisiaj plany? – pyta, a głos ma spokojny jak fale oceanu po katastrofie tankowca z dziesięcioma milionami ton ropy.

– Muszę posiedzieć nad papierami – mówię uczciwie. – Jutro posiedzenie zarządu.

– Aha – stwierdza, podnosi się i zabiera talerze.

Uuu, coś nie za dobrze. Może syndrom napięcia przedmiesiączkowego. Ale jak zapytam, będzie awantura. Nie pytam. Postanawiam się wytłumaczyć i zagadnąć jednak, o co chodzi, bo może miała jakieś plany.

– Hania, a coś chciałaś? – pytam pojednawczo, bo coś nam się przy tym obiedzie rozmowa nie kleiła.

– Ja? – Podnosi na mnie w zdumieniu swoje śliczne oczka. – Ja miałabym coś od ciebie chcieć? – A głos zimny jak lód w whisky.

W porządku, nic nie chce, siadam nad papierami, słyszę, że tłucze się w łazience, skupić się nie mogę, wchodzę do łazienki, widzę w wannie naczynia, trzaska nimi, że mało wanna nie pęknie.

– Hania, przecież widzę, że o coś ci chodzi!

– A skąd! – mówi ona. – A skąd takie przypuszczenie, o nic mi nie chodzi, skoro masz jutro zebranie zarządu, to pracuj, bardzo proszę, ja przecież zmywam! Przeszkadzasz mi.

Wychodzę z łazienki, siadam nad papierami. No, nie ma co, ładny wieczór się zapowiada. Po dwóch godzinach znajduję te cholerne brakujące akcje, oddycham z ulgą, przynajmniej na papierze będzie w porządku, przecinek nie tam postawiony, gdzie powinien być, nic dziwnego, że im dziesięć tysięcy zginęło. Hanka ogląda telewizję, robię sobie herbatę, krzyczę z kuchni:

– Napijesz się herbaty?

– Dziękuję – oschle.

Trudno. Widać ma taki dzień, że jakoś daleko jej do mnie. Wyjmuję garnki z wanny, robię sobie kąpiel.

Wchodzi do mnie najeżona.

– Nie przeszkadzają ci gary?

– Nie – mówię pogodnie.

Przecież przełożyłem na pralkę. Ślepa nie jest.

– A to widzę, że już w ogóle nie mamy ze sobą o czym rozmawiać. – I wychodzi.

Psiakrew, dobrze nie jest. Kąpiel mi zepsuła. O co jej chodzi? O seks? Znowu o seks? Może ktoś dzwonił? Może ktoś jej coś doniósł? Ale co? Prowadzę się jak jagnię na smyczy. Żadnych kobiet, żadnych kłamstw, nic, co by moje czyste sumienie pokalało.

Wyłażę z wanny, cała kąpiel na nic. Idę do pokoju, siedzi przed telewizorem, nawet na mnie nie spojrzy.

– Dobranoc – mówię.

Nie odpowiada. No to podchodzę, i widzę, że oczy pełne łez, ktoś jej krzywdę zrobił, na miłość boską – to czemu nie powiedziała! Pewnie szef ją wkurzył, jako i mnie mój wkurza. Albo pokłóciła się z Gabrysią. Albo nie wiem co.

Stoję jak ten palant, a co mi tam, przecież trzeba kobietę pocieszyć jakoś, no i siadam koło niej, przytulam ją, a Hanka jakby kij połknęła.

– Hanulek, co się stało? – pytam, najdelikatniej jak potrafię.

– Bo ty mnie już nie kochasz...

No – to przerabialiśmy.

Ale widać za mało.

– Przecież ja cię kocham, pokłóciłaś się z Gabrysią?

Kręci głową, że nie, i przełyka łzy. Dobra, będę macho. Podnoszę jej brodę do góry.

– W tej chwili masz mi powiedzieć, co się stało!

– A bo ty miałeś założyć armaturę w kuchni... – siąpie.

O kurczę blade! No, miałem, ale zapomniałem! Ludzie, czy to grzech?

– To czemuś mi nie przypomniała! Dziecinko!

– Przecież widziałeś, że zmywam w łazience...

No i tego właśnie nie lubię, że cały czas weź i się domyślaj, człowieku. Na cholerę mi taki kłopot? To nie mogła od razu powiedzieć?

Zerwałem się i w dziesięć minut armatura była założona. A Hanka rozjaśniona:

– To nie mogłeś od razu zrobić?

Jakbym mógł, tobym zrobił, co mi zależało. Ale akurat armatura mi do głowy nie przyszła, tylko te dziesięć tysięcy akcji, zagubione gdzieś w księgowości. Zresztą, co się będę tłumaczył. Łatwo swoją drogą te kobiety zadowolić, w każdym razie Hankę.

W czerwcu chcieliśmy wyjechać na urlop, w góry. Robiliśmy w pracowni grafik urlopów – pytają mnie, kiedy wyjeżdżam, a ja nie wiem, bo przecież z Hanką nie ustaliłem. Wracam do domu.

– Hania, kiedy jedziemy?

– Kiedy! Co to za idiotyczne pytanie? – Hanka przymierza spodnie. – Wtedy, kiedy będę miała urlop, to chyba jasne.

– Ale kiedy weźmiesz urlop? – pytam spokojnie i zagryzam chipsem o smaku papryki.

– Kiedy porozmawiam z szefem – oznajmia Hanka krótko, lekko poirytowana.

– A kiedy porozmawiasz z szefem? – Muszę to wiedzieć, bo przecież ten cholerny grafik.

– Kiedy wróci z urlopu – mówi beztrosko Hanka, ściąga w pasie spodnie i dodaje: – Muszę schudnąć.

Moim zdaniem nie musi, ale ja mam sprawę urlopu do załatwienia, to się w dygresje nie będę wdawał, bo skończymy Bóg jeden wie gdzie.

– A kiedy wróci z urlopu?

Hanka patrzy na mnie jak na idiotę.

– A skąd ja mam wiedzieć, kiedy mój szef wróci z urlopu? Czy ja go śledzę? Czy to ja dla niego pracuję, czy on dla mnie? Czy ja jestem jego szefem? Przełożonym? A może przełożoną? – Opuszcza ręce i zastanawia się chwilę. – Hej, słuchaj, czy gdyby mój szef był moim podwładnym, to ja byłabym jego przełożonym czy przełożoną? – Zainteresowała ją nagle ta złożona sprawa.

Zamilkłem, a potem uznałem, że czas na właściwe pytanie.

– Ale o co ci chodzi? – powiedziałem i nawet chipsik paprykowy mi przestał smakować.

– Czy gdybym ja była jego szefem, to... – kontynuuje Hanka.

Przerywam jej.

– Ale co to ma do twojego urlopu?

– Przecież pytam cię hipotetycznie, przełożonym bym była czy przełożoną?

No, widzę, niestety, że się nie dowiem, kiedy wyjeżdżamy. Postanawiam wszystko obrócić w żart.

– Przełożoną przez co? – Roześmiałem się radośnie, ale Hanka spiorunowała mnie wzrokiem.

– Kiedy tylko chcę z tobą porozmawiać poważnie, natychmiast żartujesz.

– Przełożonym – westchnąłem. – Chociaż właściwie feministki powiedziałyby przełożoną – zachichotałem.

– Czy ty masz coś przeciw prawom kobiet? – zjeżyła się moja słodka.

Na rozmowę o wyższości świąt Wielkiejnocy nad świętami Bożego Narodzenia żadnej ochoty nie miałem.

– A czy ja coś mówię? – wycofałem się najzgrabniej, jak potrafiłem.

– Śmiejesz się, ilekroć rozmawiamy na poważne tematy. Gdyby mój szef był kobietą, tobym wiedziała, gdzie pojechał, z kim, i kiedy wróci.

Bardzo przepraszam, chcę wyjaśnić tę sprawę.

– Pytałem cię tylko, kiedy weźmiesz urlop.

– No właśnie! – ucieszyła się. – W ogóle mnie nie słuchasz! Przecież ci tłumaczę, że nie wiem, kiedy wróci. Mężczyzna! To jest mężczyzna! Nikomu się nie opowiada. Może w ogóle nie wróci – rozmarzyła się i odwróciła do mnie z uśmiechem. – Ostatecznie historia nie zna przypadku, że kobieta wychodzi po papierosy i zostawia zrozpaczonego męża z dwójką nieletnich dzieci samego, samiusieńkiego, bez środków do życia, który płacze i nawet nie może się znowu ożenić, bo nie wiadomo, co się z nią stało! To zawsze robią mężczyźni!

– Czy twój szef wyszedł po papierosy? – zapytałem spokojnie, bo może jest coś, o czym ona wie, a ja nie.

– Dlaczego ty ciągle szukasz ze mną zaczepki?

No i proszę, doczekałem się. Człowiek spokojnie pyta o urlop, „kiedy", „kiedy!", nie „gdzie", nie „dlaczego", nie „po co", jedno ma tylko pytanie „kiedy wyjeżdżamy", a jest traktowany jak wróg. Nie wiem, co odpowiedzieć, bo jak zacznę od początku, to znaczy spróbuję wytłumaczyć, że tylko chcę wiedzieć, kiedy jedziemy na urlop – to nigdy tej rozmowy nie skończymy. Teraz należy tylko inteligentnie i z wdziękiem wybrnąć z tej koszmarnej sytuacji i już do niej nie wracać.

– O, dziennik się zaczyna – powiedziałem więc i włączyłem telewizor.

Nigdy nie miałem nic przeciwko temu, żeby spotykała się z tą swoją Gabrysią. Razem pracują, przyjaźnią się, proszę bardzo. Ale zawsze słyszałem:

– Bo ja wiem, że ty Gabrysi nie lubisz.

Nie ja się z nią przyjaźnię, to i po co mam lubić? Ale rzeczywiście we dwie dostają małpiego rozumu. Babski wieczór sobie zrobiły. No to co miałem robić – próbowałem się umówić z Rafałem na jakieś małe piwko, ale Rafał jest pantoflarz, nic z tego nie wyszło. Z Andrzejem posiedziałem trochę w pubie, wracam do domu, a Hanka i Gabrysia siedzą przed komputerem i chichoczą. Nic dziwnego, że się nie mogłem dodzwonić, jak, cholera, siedzą w Internecie. I pomyśleć, że sam Hankę tego nauczyłem.

Na mój widok oczywiście milkną, patrzą na siebie i znowu zaczynają głupio chichotać. Wyszedłem do kuchni wściekły. Wiedziałem, że mówią o mnie, bo inaczej by kretyńsko nie milkły. Z kobietami tak zawsze: ilekroć wchodzisz, przerywają rozmowę, a potem udają, że mówiły zupełnie o czym innym, a nie o tobie. Po co się tym przejmować?

Hanka za chwilę przychodzi, rozradowana od ucha do ucha, ciekaw jestem, dlaczego przy mnie taka nie jest, i mówi:

– No chodź do nas.

A co ja będę z babami robił?

Poszedłem.

A Gabrysia przed ekranem macha do mnie ręką:

– Chodź, chodź, zobacz, jakie fajne!

I czyta:

– „Kursy dla facetów, rok pierwszy, semestr zimowy", posłuchajcie, „Zwalczanie Głupoty, Także i Ty Możesz Wykonywać Prace Domowe, Kiedy Trzymać Gębę na Kłódkę, Opierunek – Cudowne Techniki, Nie Chcemy Obskurnej Bielizny na Gwiazdkę"...

Robi mi się nieprzyjemnie, bo ja sobie jaj z kobiet nie robię.

– Nie bierz tego do siebie, przecież to dowcip – śmieje się Hanka – przecież ja ci nigdy nie kupuję obskurnej bielizny!

Kobiety, jak są w parze, jednak głupieją. Nic dziwnego, widzę, że z dżinu zostały jakieś smętne resztki, co prawda nie było go dużo, ale mogły zostawić coś dla mnie.

I kuriozalne przypuszczenie, że ja to biorę do siebie!

– Czytaj, czytaj. – Hanka staje za Gabrysią. – Janek ma poczucie humoru!

Oczywiście, że poczucie humoru mam. Ale z czego tu się śmiać?

A Gabrysia czyta:

– No więc semestr pierwszy: „Rozumienie Komentarzy Dotyczących Powrotów do Domu o Czwartej Rano, Zachowaj Życie, Pozmywaj po Gotowaniu"...

Patrzy na mnie i zwija się z radości przed tym komputerem. Wykrzywiam twarz – jeśli to ma im robić przyjemność, bardzo proszę.

– Czytam dalej – Gabrysia aż się jąka z radości, a Hanka, jakby mnie tu nie było, tak samo radosna. – „Rozumienie Swojej Niekompetencji, Sto Tysięcy Powodów Wręczania Kwiatów, To się Obudziło, Weź Prysznic"...

No i co tu śmiesznego? Prysznic najlepiej robi, ledwie letni, kobiety tego nigdy nie zrozumieją.

– Posłuchaj, posłuchaj, Hanka: „Jak Nie Zasypiać po Seksie, Jak Opuszczać Deskę Klozetową"...

Wychodzę do sypialni. Mam jeszcze sporo roboty – poczytam sobie albo co. Ale nawet czytać nie mogę, bo przez drzwi słyszę, jak już obie radośnie piszczą:

– „Jak Pytać o Wskazówki, Dyskretne Bekanie, Jak Wyglądać, żeby Wyglądało, że Słuchasz"...

A potem już nic nie słyszę, bo albo się przeniosły do kuchni, albo szepczą. Nie mają co robić, tylko obrabiać facetów. Wiem doskonale, że mówią o mnie. Tylko nie wiem co. Ale baby zawsze gadają o seksie i o facetach. To są właśnie te sytuacje, których najbardziej nie lubię. Jakie facet ma pośladki, na przykład. Ja nigdy do swoich pośladków wielkiej wagi nie przywiązywałem, ale mam niezłe. Więc mnie takie plotkarskie gadanie w ogóle nie rusza. Ale jest to trochę wkurzające, że w swoim własnym domu człowiek jest poddawany analizie.

Drzwi się uchylają, wchodzi Hanka.

– No co ty, misiu, taki nie w humorze? Nie zachowuj się jak dzikus...

– Chcę poczytać, jestem zmęczony. Bawcie się dobrze.

– Ojej, możemy się spotykać u Gabrysi, jak ci to nie odpowiada.

Mnie nie odpowiada? Ależ skąd! Niech sobie gadają o mnie ile wlezie, proszę bardzo. Ale oczywiście poszedłem i atmosfera się trochę rozluźniła, choć pewno były niezadowolone, że nie są same.

Zresztą wieczorem obejrzałem swoje pośladki i naprawdę nie mam im nic do zarzucenia. A z kursów dla facetów zrobiłem wydruk, podrzucę jutro Rafałowi, niech go też szlag trafi.

No i gdy już prawie przyzwyczaiłem się do kobiety w domu, nastąpił kataklizm. Jak już włożyłem tyle pracy, żeby zrozumieć, że właściwie ze wszystkim jest tak jak z tą zazdrością – chodzi o to, żeby OKAZYWAĆ, ale NIE OKAZUJĄC – to cały nasz związek szlag trafił.

Ale od początku.

Hanka sobie leży na tapczanie, zawinięta w koc, ja czytam Marqueza, bo lubię i nikomu się z tego nie będę tłumaczył, oraz czuwam nad pilotem, bo zaraz w TVN 24 będzie pogoda, nagle Hanka odkłada kalendarz na brzuch i mówi:

– Dominik... Co sądzisz o imieniu Dominik?

Akurat pokazują planszę z deszczykiem, robię głośniej i słyszę z telewizora:

– „W związku ze zbliżającym się niżem wszyscy możemy odczuć"...

– Hej! – Hanka przekrzykuje mi pogodę. – Czy ty mnie słyszysz?

– Tak, oczywiście – mówię – ale poczekaj, pogoda.

– „Wiatry umiarkowane"...

– Dominik to jest dobre imię – weszła w słowa o wiatrach. I nie usłyszałem, ile stopni.

– Nie wiem, ile stopni.

– Zaraz pokażą. Nie podoba ci się?

– Co? – Jestem zdezorientowany.

– No, imię Dominik.

A w Suwałkach trzydzieści dwa stopnie.

– Dobrze, że nie mieszkamy w Suwałkach, popatrz jak tam gorąco – mówię, bo przecież koniec lata, nie pamiętam takich upałów. Właściwie szkoda, że nie u nas, u nas będzie lało i zimno, szesnaście stopni.

– Nie o tym mówię! Dominik! Mówię o Dominiku!

– Jakim Dominiku? – pytam, bo żadnego nie znam.

– Jakim, jakim... No, na przykład o naszym synu!

Jezu Chryste, mało mnie z nóg nie zwaliło. Przecież my nie mamy żadnego syna! Ale to znaczy... Matko przenajświętsza, skoro nie mamy, a ona mówi o naszym synu, to znaczy... Nie, nie, to nie może znaczyć tego, co ja myślę! Ale przecież nie jestem idiotą! Co robić?

Wpadam w panikę – Hanka bierze ponownie kalendarz do ręki – rzucam się do niej:

– Hanka, przecież nic nie mówiłaś!

– Zasłaniasz mi – mówi Hania. – Poczekaj, zasłaniasz, pokazują pogodę na weekend!

Jezu, właśnie się dowiedziałem, że będę ojcem, a ona mi tu o pogodzie?

Ale jak? Kiedy? Przecież zabezpieczaliśmy się, a poza tym taka decyzja musi być wcześniej uzgodniona! Ona nic ze mną nie uzgadniała! To znaczy, że co? Ślub? Do końca życia? Dziecko? Ja w ogóle nie jestem przygotowany na taką ewentualność! Poza tym to jest stawianie mnie przed faktem dokonanym! Tak się nie robi! Ale przecież tego wszystkiego nie powiem, bo ją tylko zdenerwuję, o tym trzeba poważnie porozmawiać, później, kiedy ochłonę, zresztą zupełnie nie wiem, co mam powiedzieć...

– Dlaczego nic mi nie powiedziałaś?

– Właśnie pytam... Dominik, podoba ci się?

Nie wiem, co mam powiedzieć, jestem wstrząśnięty, to jest najodpowiedniejsze słowo. Tak, wstrząśnięty.

– Czy mi się podoba? To... to niezwykłe...

– Dominik... – powtarza Hanka.

Ja nie chcę żadnego syna! Ani córki! Nie teraz! Nie dzisiaj! Kiedyś w przyszłości, oczywiście, ale dziś?! NIE, NIE, RATUNKU!

A poza tym Dominik? To nie jest dobre imię. W ogóle nie ma zdrobnień.

– Nie, proszę, tylko nie Dominik – dukam, bo jakoś wyobrażałem sobie, że ona będzie poruszona, jakoś się wytłumaczy i tak dalej. Takie postawienie sprawy to dobry punkt wyjścia do rozmowy z facetem wrobionym w dziecko!

– Dlaczego nie? To ładne imię.

Siadam koło niej na kanapie i ze wzruszeniem biorę ją za rękę.

– Ładne, ale wolę jakieś takie... bardziej normalne. Wyobraź sobie zdrobnienie...

– Domi...

– Domi do domu!

– Ojej, jaki ty jesteś! – Hanka przekręca się na tapczanie, koc spada na podłogę, u nas cholera chłodno, a w takich Suwałkach Afryka. – Teraz dzieci nie powinny wychodzić na podwórko... Przecież tak nie będziemy wołać... Co proponujesz?

– Jakieś takie...

– Na przykład jakie?

– A czy ja wiem... Andrzej...

– I będzie miał imieniny w andrzejki?

No, kurczę pieczone, biorę pilota i ściszam telewizor, bo mi się mózg lasuje, mówię to, co mi przychodzi do głowy:

– Trudno, żeby Andrzej obchodził imieniny na mikołajki...

Hanka odkłada kalendarz, przytula się do mnie i patrzy w sufit z rozmarzeniem, i psiakrew, jeszcze się uśmiecha do siebie.

– Mikołaj... ładne imię...

– Nie powiedziałem Mikołaj... Powiedziałem mikołajki... – prostuję.

– Jak to nie powiedziałeś... Sama słyszałam... – Hanka nie jest w nastroju do kłótni.

Wstaję z tapczanu i idę do kuchni. Sięgam do lodówki i wyjmuję wódkę. Stoi już jakiś czas, nie pijemy wódki, została po jakiejś imprezie, ale teraz nalewam pół szklanki i połykam duszkiem. Z pokoju radosny głos.

– Daj mi sok... porzeczkowy...

Oho, zaczynają się zachcianki.

Nie, tak się nie robi.

Związek nie tak ma wyglądać. Co innego razem zamieszkać, na próbę, zobaczyć jak się będzie żyło, na kocią łapę, czy jak tam to się mówi, a co innego brać ślub, mieć dziecko, taka wpadka! Koniec z wolnością!

Nalewam sobie znowu, bo przecież jestem mężczyzną – w szoku, ale w końcu mężczyzną.

– Zaraz ci przyniosę! – krzyczę i popijam wódkę wodą z kranu. Łapię z trudnością powietrze, bo dochodzi do mnie, że nie jestem gówniarzem i muszę z tej sytuacji wybrnąć jak mężczyzna, a nie jak gówniarz.

Ale pieluchy? I te wszystkie rzeczy? Z naszej uroczej sypialni – pokój dla dziecka? Które będzie wrzeszczeć po nocach? A potem chodzić i wszystko brać w ręce jak dziecko Jacków? Koniec z życiem we dwójkę? Przecież się nawet dobrze nie zdążyliśmy poznać, a już ma być dziecko? Przecież jesteśmy razem dopiero od trzech lat? Nie, ja się do tego nie nadaję.

Ale z drugiej strony, jestem odpowiedzialny. Uznam, oczywiście uznam. Będę płacił alimenty, czy tam różne inne rzeczy, wózek i te, no, śpioszki, bardzo proszę, stać mnie na to. Ale z drugiej strony, przecież Hanka to fajna dziewczyna i co, powiem jej, OK, bujaj się? Też nie mogę się zachować jak głupi skurwiel. Nie wiem, co mam zrobić. Tu by się trzeba było jakoś ucieszyć czy co, ale ja nie potrafię.

Biorę sok porzeczkowy i niosę Hance.

– Dziękuję, kochanie – mówi.

– Chcesz kanapkę?

– Przecież przed chwilą jedliśmy obiad.

– To ja sobie zrobię – mówię takim tonem, jakbym nie był porażony gromem, i wracam do kuchni.

Nalewam wódki. Nie znoszę tego absolutnie, ale przecież to dobrze robi. Już nie jestem taki spięty. Popijam wodą z czajnika.

Dziecko... No cóż... Moi rodzice też pewno nie uzgadniali ze sobą terminu. Urodziłem się siedem miesięcy po ślubie. To widać rodzinne... Trzeba by się pobrać... jakoś szybko, no i trudno... Chociaż mogłem też gorzej trafić... Na przykład na Gabrysię, przyjaciółkę Hanki. Jako przyjaciółka ona jest świetna, ale jako żona – straszna.

Nie jest tak tragicznie. Hanka jest ładna i mądra... To może nie ma co się tak otrząsać? Kiedyś i tak mielibyśmy dziecko. Chyba. Tak przypuszczam. A z drugiej strony – takie dziecko to przecież taka mała istotka i pierwsze, co mówi, to „tata"...

Jak to sobie uświadomiłem, to głupio mi się zrobiło. Musiałem sobie znowu nalać. Chłopiec... mały, całkiem podobny do mnie... chociaż lepiej byłoby, gdyby był podobny do Hanki... ładniejsza jest niż ja... chociaż mnie też nic nie brakuje. No i gralibyśmy razem w kosza i chodzili na siłownię... I nauczyłbym go prowadzić samochód, świetnie będzie prowadził... Jak się wcześnie zacznie, to dziecko łapie w lot wszystkie rzeczy... I angielski, od razu, od małego...

– Co ty tam robisz?

– Kanapki! – krzyczę i pociągam sobie jeszcze mały łyczek.

No, chłopiec to nie jest tak źle. Chociaż dziewczynka też nie jest źle. Dziewczynka na ogół bardzo kocha ojca. Może nawet bardziej niż matkę. A skąd ona wie, że to będzie chłopiec? Przecież płeć dziecka można stwierdzić dopiero w którymś tam miesiącu... Aaa, czyli przetrzymała mnie. Bała się powiedzieć wcześniej.

To nieładnie. Przecież o takich rzeczach ojciec powinien dowiadywać się pierwszy. A nie ostatni, jak ostatni dupek.

No, to najpierw chłopczyk, a potem dziewczynka. To nawet lepiej. Lepiej, że będzie miała starszego brata, który będzie w razie czego podporą i w ogóle. I nie pozwoli, żeby ją byle kto zaczepiał itede. Tylko żeby różnica wieku nie była za duża, ot co. To trzeba jakoś delikatnie Hance wytłumaczyć. No i teraz ciężki okres – jak żona Rafała była w ciąży, on bez przerwy mówił – to taki ciężki okres. Zachcianki, humory itede. Trudno. Trzeba będzie się jakoś Hanką i dzieckiem opiekować.

Ulżyło mi trochę. Jednak podjęcie męskiej decyzji działa bardzo, ale to bardzo dobrze. Łyknąłem sobie raz jeszcze i poszedłem do pokoju.

– Piłeś! – powiedziała z wyrzutem Hanka.

– Owszem.

– Sam? – zdziwiła się.

Kobiety są dziwne. Nie zrozumiesz, nawet jakbyś żył tysiąc lat. Taka okazja, a ona się dziwi!

– Wiesz, to i mnie zrób – mówi Hanka i przełącza kanał.

– Chyba żartujesz! – zdenerwowałem się.

Będzie mi tu dziecko upijać! Nie wolno! Ani palić, ani pić, zdrowo się odżywiać, ewentualnie jakiś sport, oczywiście mam tu na myśli jakieś łagodne ćwiczenia, pewno będzie chciała, żebym z nią chodził do szkoły rodzenia, a co mi tam, Rafał był, mówi, że da się przeżyć, proszę bardzo, mogę chodzić, a ona mi tu o wódce?

– Absolutnie nie. Nie życzę sobie, żebyś piła.

– To nie. Sama sobie zrobię. – Hanka odrzuca koc, podnosi się z tapczanu.

– Po moim trupie! – krzyczę, ale w porę się orientuję, że przecież nie krzyczy się na kobietę ciężarną, matkę własnych dzieci itede. – Hania, nie chcę, żebyś piła, zrób to dla mnie – mówię już spokojnie.

Patrzy na mnie jak na idiotę, siada, bierze mnie za rękę.

– Co ci jest?

Jak to, co mi jest? Właśnie się przed chwilą dowiedziałem, że całe moje życie legło w gruzach, to znaczy chciałem powiedzieć, uległo zmianie, a ona jeszcze pyta, co mi jest! Tego w żadnym poradniku „Jak wychować sobie mężczyznę" nie napisali.

– Haniu – mówię spokojnie, jak do premiera prezydent – nie wolno ci teraz pić, a ja chciałem to uczcić.

– Ale co? – pyta Hanka.

Ludzie! Ożenię się z kobietą chromą umysłowo, na to mi przyszło!

– No jak to co? To, że będę miał dziecko! – krzyczę, bo już nie wytrzymam ani chwili dłużej.

Hanka zrywa się, ja też, biorę ją za rękę, a ona jak mi nie przywali w pysk! I tylko słyszę trzaśnięcie drzwiami.

Tak jak stała, wybiega z domu, i znowu nie rozumiem, o co chodzi! Co ja takiego zrobiłem? Wychylam się przez okno i krzyczę:

– Wracaj, porozmawiajmy!

Ale nawet się nie odwróciła.

A następnego dnia Gabrysia przyjechała po jej rzeczy. Myślałem, że będę mógł pogadać, dowiedzieć się, gdzie jest, co się stało, ale Gabrysia tylko powiedziała:

– Nie wiedziałam, że taki z ciebie sukinsyn.

No, tu już nie wytrzymałem i powiedziałem, że jak stawia się mnie przed faktem dokonanym, a ja, będąc mężczyzną, i to zaskoczonym mężczyzną, nie dość, że biorę odpowiedzialność za kobietę i dziecko, to jeszcze słyszę takie inwektywy... ale Gabrysia mi przerwała w pół słowa nadzwyczaj elegancko:

– Zamknij się – usłyszałem. I tyle.

Przez całą niedzielę – bo to wszystko wydarzyło się w sobotę – zastanawiałem się, o co może jej chodzić. Analizowałem każde zdanie, które między nami padło, i ni cholery nie rozumiałem, o co chodzi. Czy nie dość okazałem, że się cieszę? Kobieta może spodziewać się Bóg wie czego! Wchrzania cię w ciążę, a potem skacz do góry z radości! Ale przecież Hanka nie była znowu taką idiotką, żyłem z nią jednak trochę. Trzy lata zmarnowane.

I bardzo dobrze. Teraz jestem samotnym facetem. Mogę sobie iść na piwo i nie zwierzać się, o której wrócę. Bo nie mam komu. Nareszcie! I mogę włączyć sobie Eurosport na całe dwadzieścia cztery godziny. I mogę siedzieć na kanapie, i trzymać nogi na stoliku. W butach, czego Hanka nie znosiła. Bardzo proszę, jestem człowiekiem wolnym, niezależnym, sama tak chciała. Oczywiście, na dziecko będę łożył, mam swój honor.

Nareszcie nie będę się opowiadał, dzwonił, tłumaczył i nawet sobie bzyknę od czasu do czasu bez zobowiązań. Świat jest pełen kobiet, które chętnie mnie pocieszą, to znaczy, pocieszać nie muszą, bo nie ma po czym, ale na pewno pojawią się jakieś kobiety w moim życiu. I na pewno już będę uważał ze związywaniem się na stałe. O nie!

Zacznę nowe życie już dzisiaj.

Zadzwoniłem do Rafała, ale nie mógł rozmawiać, bo właśnie jechali do teściów na obiad. Adama nie było w domu, a Andrzej był już umówiony z Elką i nie chciał odwoływać.

Więc zostałem w domu i nastawiłem sobie Eurosport.

Ale przecież jak długo można oglądać Eurosport. Potem się wkurzyłem, jak pomyślałem, że ona będzie rządzić moim dzieckiem. Co to znaczy? Ja jestem ojcem i jakieś prawa, do cholery, mam!

W poniedziałek rano zwolniłem się u szefa i pojechałem do pracy Hanki. Jak mnie zobaczyła na korytarzu, to myślałem, że upadnie. Boże, jak ona wygląda! Strasznie! Oczy podkrążone, nie wiedziałem, że ciąża tak może zmienić kobietę w ciągu dwóch dni!

– Czego chcesz?

Nie tak sobie wyobrażałem naszą pierwszą rozmowę, ale rozumiem, że musi być w strasznym stanie. Ciekaw jestem, czy żona Rafała, jak była w ciąży, to go też biła.

– Musimy porozmawiać.

– Nie mamy o czym.

Teraz było jasne, że chce mnie wyślizgać z ojcostwa, ale ja na to nie pozwolę. Złapałem ją za ramię i powiedziałem ostro:

– Owszem, będziesz ze mną rozmawiać.

Syknęła tylko i weszliśmy do jej biura. Gabrysia popatrzyła na mnie z najwyższym niesmakiem i wyszła z pokoju.

– Co ty wyprawiasz? W twoim stanie? Nie chcesz być ze mną, to powiedz wyraźnie i po prostu. Mam dosyć tych gier!

– Oczywiście, że nie chcę być z tobą. – powiedziała ta obca Hanka. – Jak możesz mnie w ogóle o to pytać?

I wtedy zrozumiałem coś, co od początku było oczywiste. Olśniło mnie!

To dziecko nie było moje. I dlatego była taka obojętna. I nie wytrzymała psychicznie tego, że mnie chciała oszukać, wrobić w to ojcostwo itede.

– Mogłaś mi powiedzieć wcześniej, że dziecko nie jest moje! A nie przepytywać mnie z imion, a jakie ci się podoba, a jakie nie, a może Dominik, a może Andrzejek! – krzyczałem na cały głos. Hanka otwierała coraz szerzej oczy i miałem wrażenie, że zemdleje, więc się zreflektowałem, że to się mogło źle skończyć. Jeszcze poroni, albo co. Uspokoiłem się i prawie zupełnie spokojnie zapytałem wprost: – Hanka, czy ty jesteś w ciąży ze mną? Czy z kim innym?

Hanka opadła na fotel i zbladła. Aż ścisnęło mi się serce.

– Ja przecież byłam ci zawsze wierna – wydukała. – Nie wiem, o czym mówisz...

Może i jestem głupi, ale jej uwierzyłem. No, kurczę, człowiek po trzech latach wie, kiedy kobieta kłamie.

– No to czemu uciekasz, robisz awantury?

Więc tłumaczę jej, że nie szkodzi, że mi nie powiedziała wcześniej, że właściwie ja się bardzo cieszę, że będziemy mieli dziecko, ostatecznie człowiek jest zawsze nieprzygotowany na takie ewentualności, a znowu robienie dziecka z zegarkiem w ręku to bzdura, jak się ludzie kochają, to po prostu w którymś momencie taka decyzja zapada i już, jakoś spontanicznie i tyle, i że dziecko musi mieć oboje rodziców, i że rozumiem, że wariuje, bo Rafałowi z żoną w ciąży też nie było lekko, ale przecież jesteśmy dorosłymi ludźmi.

A ona patrzyła na mnie coraz większymi oczami i potem to tylko poprosiła mnie słabym głosem, żebym jej dał wody, a jak już dałem, to zapytała, dlaczego myślę, że jest w ciąży...

Robić wiatraka ze spokojnego człowieka to szczytowe osiągnięcie kobiety. Jak to skąd? Sama powiedziała! Dominik! Synek! I zachcianki! I walenie w pysk!

A ona wstaje, obejmuje mnie i mówi:

– Ty głuptasie, ja nie jestem w ciąży! Ja tylko pytałam, czy ci się podoba imię Dominik, tak hipotetycznie! Ja nie chcę teraz mieć dziecka! Za wcześnie! Ja myślałam, że to ty mi mówisz, że jesteś ojcem, czyli kochasz inną!

Ludzie święci, to może tylko kobieta wymyślić.

No i za długo tym samotnym facetem nie byłem. Ale już się przyzwyczaiłem, że kobieta nie zrozumie faceta nigdy. To takie proste – mówić jasno, prosić o rzeczy określone... Skąd mam wiedzieć, co ona chce na imieniny? A przecież jak powie, to dostanie.

Tylko nie za bardzo mi się podoba, że ona na razie nie myśli o dziecku. Bo przecież jesteśmy razem trzy lata i właściwie na co mamy czekać? Trzeba jakoś zalegalizować czy co...

Weźmiemy ślub, no i jakoś to życie się potoczy. Przecież nie będę stał przed lustrem i oglądał siebie. To już wolę, jak ona czegoś w lustrze szuka.

I dobrze byłoby, żeby najpierw urodził się chłopiec. I, w cholerę, zgadzam się nawet na Dominika. Czemu nie? Ładne imię, i rzeczywiście, przecież na podwórku nie będzie się chował, więc nikt nie będzie wrzeszczał z okien Domi, Domi. Zgadzam się, żeby najpierw był chłopiec. Chociaż, z drugiej strony, starsza siostra to też jest coś fajnego. Opiekuje się takim malcem, pomaga mamie, no i zawsze może na mnie liczyć. Tylko w ogóle nie mam dla niej imienia. A imię jest ważne dla dziewczynki, bo one są częściej niezadowolone. Może Ania, Anulka, trochę po Hance? A może zupełnie inaczej. Ostatecznie mogę zajrzeć do kalendarza, tam jest spis wszystkich imion dla rozkosznych maleńkich dziewczynek.

A ona mi mówi, że na razie nie myśli o dziecku. Jest pozbawiona wyobraźni, czas leci, przecież z każdym dniem się starzejemy! Ale myślę, że razem z wodzem jakoś Hankę przekonamy.

Spis treści